# LE THÉ
## le guide du connaisseur

Jane Pettigrew

# LE THÉ

## le guide du connaisseur

Jane Pettigrew

MODUS VIVENDI

**Remerciements de l'auteur :**

Dans le monde entier, de nombreuses personnes d'horizons variés m'ont prodigué de précieux conseils pour m'aider à préparer ce livre. Je souhaite remercier sincèrement ceux qui m'ont envoyé des échantillons, des ustensiles, de la documentation et des photos. Je voudrais également adresser des remerciements particuliers à cinq personnes : Kitti Cha Sangmanee, de la maison de thé Mariage Frères à Paris, Devan Shah, des Indian Tea Importers aux États-Unis ; Mike Bunston et Dominic Beddard de Wilson Smithett Ltd., en Grande-Bretagne ; et Iltyd Lewis du Tea council de Grande-Bretagne. Leurs conseils avisés ont été très appréciés. Un grand merci à Clare Hubbard de Quintet Publishing Ltd.

Copyright © MCMXCVII
Quintet Publishing Limited
Paru sous le titre original de :
*The Tea Companion*

Publié par :
LES PUBLICATIONS MODUS VIVENDI INC.
3859, autoroute.des Laurentides
Laval (Québec)
Canada  H7L 3H7

Direction éditoriale : Clare Hubbard
Adaptation française : Marie-Line Hillairet, Anne Blot
Coordination de l'édition française : Philippe Brunet
Design de la couverture : Marc Alain

Dépôt légal,  4<sup>e</sup> trimestre 2002
Bibliothèque nationale du Québec
ISBN : 2-89523-125-7

# SOMMAIRE

# Le Monde

## du

# Thé

# L ' H I S T O I R E
# D U T H É

## LES ORIGINES CHINOISES

L E THÉ est la boisson la plus consommée dans le monde. Derrière ce breuvage de tous les jours, derrière les boîtes de thé rangées sur les étagères des boutiques, se cache une aventure fascinante et colorée qui tisse sa toile dans l'histoire culturelle et sociale de nombreux pays.

Selon la légende chinoise, cette odyssée captivante débuta au moment où l'empereur Chen Nung – un savant doublé d'un herboriste qui, au nom de l'hygiène, ne buvait que de l'eau bouillie – découvrit les vertus bénéfiques du thé. On dit qu'un jour de l'an 2737 av. J.-C., alors que Chen Nung se reposait à l'ombre d'un théier sauvage, une légère brise secoua les branches et fit tomber quelques feuilles dans l'eau frémissante qu'il avait préparée. Il trouva l'infusion délicieusement désaltérante et énergisante, et c'est ainsi que «naquit» le thé.

Il est bien sûr impossible de savoir si Chen Nung a réellement existé, ou s'il a uniquement été le symbole de l'essor agricole, médical et culturel de la Chine ancienne. La Chine ne fut unifiée qu'au IIIe siècle av. J.-C., il est donc peu probable qu'il y ait eu un empereur en 2737 av. J.-C. Mais, quelles que soient les origines de cette boisson, d'après les spécia-

*Chen Nung se repose sous un théier.*

listes, le thé était déjà présent en Chine en ces temps lointains.

La première allusion écrite à la feuille de thé date du IIIe siècle av. J.-C. Un célèbre chirurgien chinois en prescrivait alors pour améliorer le pouvoir de concentration et la vivacité de l'esprit. À la même époque, un général de l'armée, se sentant vieux et déprimé, demanda à son neveu de lui envoyer du «vrai thé». L'apparition même du mot thé, *tu*, dans les récits anciens prête à confusion, car ce caractère chinois était utilisé à la fois pour le thé et pour une autre plante, le laiteron; seule la prononciation permit de faire une distinction, après qu'un empereur de la dynastie Han (entre 206 av. J.-C. et 220 apr. J.-C.) eut ordonné que le caractère fût prononcé *cha* lorsqu'il faisait référence au thé. À compter du VIIIe siècle apr. J. C., il devint plus simple de retracer l'histoire du thé : le caractère perdit une barre et se singularisa ainsi.

Jusqu'au IIIe siècle apr. J.-C., cette boisson préparée avec les feuilles du théier sauvage

*L'idéogramme chinois signifiant «thé».*

servit de médicament ou de tonique. Pour satisfaire une demande toujours croissante, les paysans commencèrent à cultiver du thé sur leurs parcelles et mirent au point un procédé de séchage et de traitement.

Aux IVe et Ve siècles, le thé devint très populaire, et de nouvelles plantations virent le jour sur les collines surplombant le Yang Tsé-kiang. Le thé était un cadeau apprécié des empereurs; on en trouvait aussi dans les tavernes et chez les marchands de vin. On l'utilisa pour faire du troc avec les Turcs en 476 apr. J.-C. (sous la forme de briques de thé compressé fabriquées à partir de feuilles vertes passées à la vapeur). Les marchands de thé s'enrichirent. Les potiers, les forgerons et les négociants en argent se lancèrent dans la fabrication d'ustensiles raffinés qui reflétaient la richesse et le statut de leurs possesseurs.

Les années fastes de la dynastie Tang (618-907 apr. J.-C.) correspondent pour beaucoup à «l'âge d'or» du thé, qui n'était plus seulement un remède : on en buvait aussi pour le plaisir ou pour ses vertus fortifiantes. La préparation et le service du thé donnèrent lieu à un véritable cérémonial. Sa culture et son traitement furent soumis à une législation sévère. La récolte faisait l'objet d'une attention toute particulière – l'hygiène et le régime des jeunes cueilleuses étaient contrôlés. L'ail, l'oignon et les épices fortes leur étaient strictement interdits, de peur que l'odeur répandue sur leurs doigts ne contamine les feuilles.

À cette période, un groupe de négociants demanda à l'écrivain Lu Yu (733-804 apr. J.-C.) de préparer le premier livre jamais écrit sur le thé. *Le Classique du thé (Cha King)* décrit le

*Séchage manuel du thé dans la Chine du XVII<sup>e</sup> siècle.*

thé sous tous ses aspects, en s'intéressant aux origines de la plante et à ses caractéristiques, aux différentes variétés, au traitement de la feuille et aux ustensiles nécessaires à l'infusion, à la qualité des eaux selon les lieux, aux vertus médicinales du thé et aux coutumes qui régissent sa consommation.

Sous la dynastie Tang, les jeunes feuilles, une fois cueillies, étaient chauffées à la vapeur, écrasées puis mélangées avec du jus de prune qui servait de liant naturel. La pâte était ensuite versée dans des moules ou transformée en galets, puis mise à cuire. Pour préparer une tasse de thé, on rôtissait le galet jusqu'à ce qu'il soit suffisamment mou pour être réduit en une poudre que l'on faisait ensuite bouillir dans de l'eau.

Dans certaines régions de Chine, on ajoutait du sel qui donnait au thé un arrière-goût amer. On utilisait plus couramment de l'oignon doux, du gingembre, du zeste d'orange, des clous de girofle et de la menthe poivrée, que l'on jetait dans l'eau frémissante juste avant le thé.

Plus tard, sous la dynastie Song (960-1279 apr. J.-C.), on moulait les galets de thé en une poudre très fine que l'on mélangeait à l'eau avec un fouet pour obtenir un liquide mousseux. Après avoir bu la première tasse, on rajoutait de l'eau bouillante, on fouettait à nouveau le liquide et on le buvait. Ce processus pouvait se répéter jusqu'à sept fois avec le même thé. Les assaisonnements épicés de la dynastie Tang furent abandonnés au profit de parfums plus subtils, comme le jasmin, le lotus ou le chrysanthème.

Jusqu'à l'avènement de la dynastie Ming (1368-1644 apr. J.-C.), le thé produit en Chine était du thé vert. Les briques de thé des dynasties précédentes, qui se conservaient bien, avaient servi de monnaie d'échange dans les contrées lointaines. Le thé Ming, lui, n'était pas conditionné en galets. Les feuilles, chauffées à la vapeur puis séchées, perdaient vite leur parfum et leur arôme. À mesure que le commerce avec l'étranger se développait, le thé, sujet à de longs voyages, se devait de garder toutes ses qualités. Les Chinois, soucieux de réaliser des profits, inventèrent deux nouvelles variétés – le thé noir et le thé parfumé aux fleurs. On a cru pendant un temps que le thé vert et le thé noir étaient issus de deux plantes différentes, mais tous les thés proviennent de feuilles vertes cueillies sur le théier. Les producteurs de la dynastie Ming découvrirent qu'ils pouvaient conserver les feuilles en les faisant tout d'abord fermenter à l'air jusqu'à ce qu'elles prennent une couleur rouge cuivré, puis en les cuisant pour stopper le processus naturel de décomposition. Si on commença effectivement à exporter en Europe des feuilles de thé vert en vrac, la tendance s'inversa progressivement lorsque les producteurs Ming eurent adapté leurs méthodes de préparation aux besoins du marché.

# DE LA CHINE AU JAPON

L'histoire japonaise relate que, en l'an 729 apr. J.-C., l'empereur Shomu servit du thé dans son palais à une centaine de moines bouddhistes. Les feuilles devaient probablement venir de Chine car, à cette époque, le thé n'était pas cultivé au Japon. On suppose que les premières graines de théier furent importées par Dengyo Daishi, un moine qui séjourna pendant deux ans en Chine (de 803 à 805 apr. J.-C.) pour étudier. De retour au pays, il sema les graines sur les terres autour du monastère. Cinq ans plus tard, il servit à l'empereur Saga le thé qu'il avait récolté. Celui-ci apprécia tellement ce nouveau breuvage qu'il intima l'ordre de cultiver du thé dans les cinq provinces jouxtant la capitale.

Entre la fin du IXe siècle et celle du XIe, les relations entre la Chine et le Japon s'envenimèrent et le thé, considéré comme une denrée chinoise, perdit les faveurs de la cour. Les moines bouddhistes japonais continuèrent cependant à en boire pour stimuler leur esprit et trouver la concentration nécessaire à la méditation. Au début du XIIe siècle, la situation s'améliora. Un moine japonais du nom d'Eisai fut le premier à se rendre à nouveau en Chine, d'où il ramena beaucoup de graines ainsi que du thé vert

en poudre. Il diffusa également les ensei-
gnements de la secte bouddhiste Rinzai
Zen. La consommation de thé et les
croyances bouddhistes se développèrent de
concert. En Chine, le rituel associé à la
dégustation du thé disparut peu à peu, alors
qu'au Japon il se mua en une cérémonie
très élaborée. Aujourd'hui encore, la cérémonie du thé, le *Cha no Yu*, demande un
type de comportement particulier en vue de
créer une ambiance où l'hôte et son invité

atteignent le renouveau spirituel et sont en
harmonie avec l'Univers.

En 1906, Okakura Kakuzo écrivit dans
son *Livre du thé* : «Le théisme est un culte
basé sur l'adoration du beau parmi les vul-
garités de l'existence quotidienne. Il inspire
à ses fidèles la pureté et l'harmonie, le mys-
tère de la charité mutuelle, le sens du
romantisme de l'ordre social.» La cérémonie
du thé, qui traduit l'essentiel de la philoso-
phie japonaise, associe quatre principes :

*Takeno Jhooh, célèbre maître de thé japonais.*

*Publicité pour le thé Fujiyama.*

l'harmonie (avec les gens et la nature), le respect (des autres), la pureté (du cœur et de l'esprit) et la tranquillité. Selon Kakuzo, « le rituel du thé est un art de vivre ».

La cérémonic, qui peut durer jusqu'à quatre heures, se déroule soit à la maison, dans une pièce réservée à cet usage, soit dans une maison de thé.

# LE THÉ ARRIVE EN EUROPE

On ne sait qui, des Hollandais ou des Portugais, furent les premiers à débarquer du thé sur les côtes européennes au début du XVII<sup>e</sup> siècle, car les deux pays faisaient du commerce dans la mer de Chine – les Portugais étaient établis à Macao, sur le continent chinois, et les Hollandais à Java. Les Portugais acheminaient les thés chinois vers Lisbonne et, de là, les Hollandais de la Compagnie des Indes livraient la marchandise dans les ports de France, de Hollande et de la mer Baltique. À partir de 1610, les Hollandais transportèrent principalement des thés japonais, mais en 1637 les directeurs de la Compagnie s'adressèrent à leur gouverneur général en ces termes : « De plus en plus de gens apprécient le thé, nous souhaiterions donc que chaque cargaison comprenne des jarres de thé chinois en plus du thé japonais. »

En Hollande, le thé gagna les faveurs de toutes les classes sociales. Les Hollandais en expédièrent aussi en Italie, en France, en Allemagne et au Portugal. Lorsque le thé arriva en Europe, les Français et les Allemands ne l'adoptèrent pas comme boisson quotidienne, excepté dans une région du nord de l'Allemagne, la Frise orientale (où il est encore très apprécié aujourd'hui), et dans la haute société française. M<sup>me</sup> de Sévigné raconte dans une de ses lettres que son amie la marquise de La Sablière prenait son thé avec du lait, et que Racine en buvait chaque jour au petit déjeuner. Dès la fin du XVII<sup>e</sup> siècle, le café avait supplanté le thé en France comme en Allemagne. C'est en Russie et en Angleterre que le marché du thé s'épanouit pleinement.

Le thé arriva en Russie en 1618, sous forme de cadeau des Chinois au tsar Alexis. Un accord signé en 1689 marqua les prémices d'un commerce régulier, et on vit se diriger vers la frontière des caravanes de 200 à 300 chameaux chargés de fourrures destinées à être échangées contre du thé. Chaque chameau transportait quatre caisses de thé (environ 270 kg), de sorte que le retour vers Moscou s'effectuait lentement – le voyage du producteur chinois au consommateur russe durait de seize à dix-huit mois. Jusqu'au début du XVIII<sup>e</sup> siècle, le thé noir fumé qu'affectionnaient les Russes (un mélange encore commercialisé aujourd'hui par de nombreuses compagnies) était onéreux et de ce fait réservé aux aristocrates, mais la marchandise devint ensuite de plus en plus abondante. Dès 1796, les Russes consommaient plus de 6 000 chargements par an. Le commerce par caravane continua jusqu'à la mise en service du Transsibérien (en 1903), qui permit l'acheminement de la soie, du thé et de la porcelaine de la Chine vers Moscou en une semaine seulement.

## LA GRANDE-BRETAGNE DÉCOUVRE LE THÉ

Certains Britanniques – membres de la famille royale, aristocrates et marchands – avaient sans doute entendu parler du thé (et peut-être même en avaient-ils goûté) avant qu'il ne fît son entrée officielle à

*Le magasin de Thomas Garraway dans Exchange Alley.*

Londres en 1658. En septembre 1658, un marchand londonien, Thomas Garraway, fut le premier à annoncer dans l'hebdomadaire *Mercurius Politicus* la vente aux enchères d'une nouvelle denrée, « une boisson chinoise excellente, recommandée par tous les médecins, que les Chinois appellent *tcha* et d'autres pays *tay*, alias *thé*, vendue à Londres dans un café situé à proximité du Royal Exchange ».

Deux ans plus tard, dans le but avoué d'augmenter les ventes, Garraway rédigea une annonce publicitaire intitulée « Une description exacte de la culture et des vertus de la feuille de thé », qui prétendait : « Le thé soigne presque tous les maux, […] est un fortifiant et un euphorisant, […] il soulage le mal de tête, dégage les voies respiratoires, […] chasse les mauvais rêves, apaise l'esprit, fortifie la mémoire, vainc l'endormissement, […] soigne les rhumes, l'hydropisie et le scorbut, élimine les infections. »

Le destin du thé en Grande-Bretagne prit un tournant heureux en 1662, lorsque le roi Charles II épousa la princesse portugaise Catherine de Bragance. La nouvelle reine, qui appréciait le thé bien avant d'arriver à la cour d'Angleterre, apporta avec elle une caisse de thé. Elle avait coutume d'en servir à la cour, c'est ainsi que la nouvelle boisson se fit une réputation et que de plus en plus de gens souhaitèrent eux-mêmes y goûter. Mais son prix prohibitif ne la rendait accessible qu'aux personnes fortunées et désireuses de suivre la mode.

Les dames aimaient servir le thé chez elles, alors que les hommes buvaient le leur dans des cafés qui, depuis les années 1650, faisaient partie du paysage urbain. Chacun

*Catherine de Bragance.*

*Thomas Twining,*
*fondateur de la* Tom's Coffee House.

attirait sa clientèle propre – banquiers, agents de change, hommes politiques, journalistes ou poètes. La compagnie d'assurances Lloyds vit le jour dans le café qu'Edward Lloyd tenait dans la City de Londres, et d'où il dressait chaque jour la liste des navires qui quittaient le port et de leurs cargaisons.

En 1706, Thomas Twining, le fondateur de la célèbre compagnie de thé du même nom, ouvrit son propre café, la *Tom's Coffee House*, juste à la sortie des quais, à l'extérieur des anciens remparts de la City. Son affaire prospéra. En 1717, il l'appela *The Golden Lyon*, puis il se fit une rapide réputation en vendant des feuilles de thé en vrac et en servant du thé aux hommes comme aux femmes, sans discrimination (en effet, les femmes n'avaient pas droit de cité dans les cafés ; de toute façon, aucune femme qui se respectait n'aurait mis les pieds dans de tels établissements remplis de fumée et d'alcool, et où fusaient les plaisanteries grivoises).

Le coût élevé du thé était dû à une lourde taxe imposée sur diverses denrées d'usage courant à l'époque de Charles II. Prélevée sur le thé, le café et le chocolat, elle tripla même en quelques années, de telle sorte qu'en 1689 le coût d'une livre du thé le moins cher équivalait presque au salaire hebdomadaire d'un ouvrier. Mais la demande s'intensifia, aussi bien chez les riches que chez les pauvres, et donna naissance à un marché noir très lucratif

– le thé en provenance de Hollande était importé en fraude – qui impliqua de nombreuses personnes, y compris des hommes politiques et des hommes d'Église, pour le stockage et l'écoulement des produits. Afin d'augmenter la quantité et le profit, le thé était souvent mêlé à d'autres feuilles, en particulier de la réglisse et de la prunelle ; les feuilles qui avaient servi étaient séchées et teintées avec de la mélasse, puis séchées, cuites, foulées au pied, passées au tamis et plongées dans du crottin de mouton. Un décret gouvernemental datant de 1725 condamna les contrebandiers et les marchands peu scrupuleux à de lourdes amendes. À partir de 1766, ils encoururent aussi des peines de prison.

Comme le thé vert se prêtait mieux à la contrefaçon que le thé noir, de plus en plus d'amateurs se mirent à consommer des thés noirs déjà traités, introduits sur les marchés étrangers par les producteurs de la dynastie Ming.

Au XVIIIe siècle, le thé devint la boisson la plus répandue en Grande-Bretagne,

*Contrebande du thé sur les côtes de Grande-Bretagne au XVIIIe siècle.*

remplaçant la bière au petit déjeuner et le gin à toute heure de la journée. La consommation de thé passa de 30 t en 1701 à 2 200 t en 1781, et atteignit 6 800 t en 1791, du fait d'une baisse notable de la taxe en 1784. Les gens buvaient le thé chez eux et dans des «jardins de thé» *(tea gardens)* en vogue depuis peu. Les cafés, fréquentés par des gens oisifs et peu recommandables, avaient fermé leurs portes au début du XVIIIᵉ siècle, et cédé la place à des jardins situés à la ceinture des faubourgs de Londres, où les gens de toutes conditions, y compris les membres de la famille royale, venaient prendre l'air, boire du thé et s'adonner à toutes sortes de distractions. Les plus connus, le *Marylebone*, le *Ranelagh* et le *Vauxhall*, proposaient, outre du thé et d'autres rafraîchissements, des concerts, des feux d'artifice, des illuminations, des promenades à cheval ou en bateau, des jeux d'argent, des terrains de boules ainsi que des salles de danse avec orchestre. Mais l'expansion rapide de la ville de Londres au début du XIXᵉ siècle et l'émergence de divertissements plus palpitants entraînèrent la fermeture de tous les *tea gardens*.

# LE THÉ DE L'APRÈS-MIDI

Jusqu'à l'aube du XIXᵉ siècle, le thé se buvait à n'importe quel moment de la journée et particulièrement en digestif après le repas du soir. Le «thé de l'après-midi» *(afternoon tea)* ou thé de 5 heures, tel que nous le connaissons aujourd'hui, n'existait pas encore. C'est Anna, la septième duchesse de Bedford, qui instaura ce rituel typiquement britannique, pour calmer la «sensation angoissante» qu'elle éprouvait en milieu d'après-midi, pendant ce long laps de temps qui sépare le déjeuner léger de midi du dîner servi à une heure tardive. Pour assouvir sa faim, elle demanda à sa femme de chambre de lui apporter une théière accompagnée d'un petit en-cas. Elle trouva cette coutume si agréable qu'elle invita ses amies à se joindre à elle. Très vite, la bonne société londonienne se laissa tenter par ces petites réunions où l'on buvait du thé en mangeant des sandwiches fins et des petits gâteaux, en discutant de tout et de rien. Les orfèvreries, les manufactures de porcelaine et de linge de table se mirent à fabriquer les ustensiles nécessaires à ces thés raffinés. On trouva dans les livres de cuisine des conseils sur la manière de préparer et de servir le thé, sur l'organisation des réceptions et le choix des mets appropriés. Le thé mondain de 5 heures ne devait en aucun cas se confondre avec le *high tea* que prenaient les ouvriers vers 17 h 30 ou 18 heures, après leur longue et dure journée de travail à l'usine, à la mine ou au bureau – un repas solide et copieux composé d'aliments aussi bien sucrés que salés, et arrosé de thé.

## LES GUERRES DE L'OPIUM ET LE THÉ DE L'EMPIRE

À mesure que la consommation de thé s'accroissait, les importations en provenance de Chine revenaient de plus en plus cher à la Grande-Bretagne. En outre, la Chine n'avait aucun besoin de la seule denrée que la Grande-Bretagne avait à offrir en échange, le coton. Dès 1800, l'opium fournit une solution au problème. Les Chinois voulaient de l'opium (malgré une loi de 1727 qui en interdisait l'importation), et les Britanniques puis les Portugais prirent part au trafic. La Compagnie des Indes orientales cultivait l'opium au Bengale (qui était alors une colonie britannique), le vendait aux Chinois contre de l'argent par l'intermédiaire de grossistes de Calcutta, et payait le thé avec ce même argent.

Malgré les pénalités de plus en plus sévères infligées par le gouvernement, ce

*La salle des ventes de la Compagnie des Indes orientales.*

commerce illégal continua jusqu'à ce qu'en 1839 un fonctionnaire chinois, Lin Zexu, déverse 20 000 caisses d'opium sur une plage près de Canton, où l'eau de mer le rendit inutilisable. Un an plus tard, la Grande-Bretagne déclara la guerre à la Chine, qui répliqua en imposant un embargo sur toutes les exportations de thé.

À la lumière des difficultés rencontrées avec la Chine, la Grande-Bretagne avait depuis quelque temps envisagé de produire du thé dans d'autres lieux. Le nord de l'Inde paraissait particulièrement propice du fait du climat et de l'altitude. À la suite de la découverte de théiers dans le haut Assam en 1823, Charles Bruce, un fonctionnaire de la Compagnie des Indes, créa de petites plantations et finit par persuader ses employeurs (qui avaient toujours été des inconditionnels des graines chinoises) de cultiver la variété d'Assam à l'échelle industrielle. Le première cargaison de thé « Assam » arriva à Londres en 1838. La Assam Tea Company, fondée en 1840, s'implanta bientôt dans d'autres régions du nord de l'Inde.

Dans les années 1870, Ceylan devint également une importante région productrice de thé, après que les mauvaises récoltes de café de 1860 eurent décidé les planteurs à opter pour le thé à la place du café. Un des premiers fut l'Écossais James Taylor qui, grâce à des méthodes d'avant-garde, fit du thé la principale culture d'exportation de Ceylan.

*Publicité pour les thés de Ceylan Lipton.*

Par la suite, la venue dans l'île d'un novice du commerce du thé lui garantit le succès. À l'âge de quarante ans, Thomas Lipton était déjà millionnaire grâce à son commerce d'alimentation, célèbre pour ses jambons et ses fromages. Il possédait des épiceries dans toute l'Angleterre, dont plus de 70 à Londres même. Lipton, qui avait toujours été heureux en affaires, fit lors de sa visite sur l'île l'acquisition de plusieurs plantations. Il s'aperçut qu'en produisant lui-même son thé et en le commercialisant directement dans ses épiceries, il pouvait baisser le prix du thé tout en dégageant un excellent bénéfice. Grâce à des campagnes publicitaires vigoureuses, il fit en sorte que le nom de Lipton devienne synonyme de thé dans le monde entier.

La consommation de thé en Grande-Bretagne passa de 11 000 t en 1801 à 118 000 t en 1901, et les thés de Ceylan et d'Inde supplantèrent peu à peu le thé de Chine. Les importations de thé en provenance de Chine, qui avaient culminé en 1886 avec 78 000 t, tombèrent à 6 000 t en 1900, ce qui équivalait seulement à 7 % du montant total des importations. En 1939, les importations chinoises ne représentaient plus que 600 t. Elles augmentèrent cependant dans les années soixante-dix, et en 1978 la Grande-Bretagne consommait à nouveau 6 800 t de thé de Chine. Aujourd'hui, les clients principaux de la Chine sont le Maroc et les États-Unis.

## LES CLIPPERS

Les bateaux de la Compagnie des Indes, transportant de lourdes cargaisons de thé et d'accessoires divers, mettaient de douze à quinze mois pour rallier Londres. En 1845, le premier clipper américain fit l'aller et retour au départ de New York en moins de huit mois, ce qui constituait une menace pour les armateurs britanniques. En 1850, le premier clipper britannique, le *Stornaway*, fut construit à Aberdeen, suivi par de nombreux autres voiliers du même type, fins de carène, très toilés, dont la vitesse moyenne atteignait 18 nœuds. Les clippers pouvaient transporter plus d'un

*Le tea clipper* Great Republic.

demi-millier de tonnes de thé chacun. Dans les ports chinois, les caisses de thé étaient chargées avec méthode par des dockers indigènes. La stabilité des cargaisons contribuait à augmenter la rapidité des bateaux, et à réduire les dangers représentés par les moussons, les courants, les récifs, les tempêtes et les pirates.

Plusieurs clippers quittaient la Chine en même temps et faisaient la course jusqu'à Londres, où s'engageaient des paris. Le thé arrivé le premier était acheté plus cher, et l'équipage lauréat recevait une récompense. La course la plus mémorable eut lieu en 1866. Quarante vaisseaux y participèrent, qui voguèrent presque de front. Trois d'entre eux touchèrent terre en même temps, quatre-vingt-dix-neuf jours après avoir hissé la voile.

La dernière des courses eut lieu en 1871, date à laquelle les bateaux à vapeur (steamers) succédèrent à la plupart des clippers. Plus tard, l'ouverture du canal de Suez réduisit encore la durée du voyage entre l'Europe et l'Asie de plusieurs semaines.

## LES SALONS DE THÉ ET LES THÉS DANSANTS

Après la fermeture des jardins londoniens, il ne resta guère d'endroits où prendre le thé, si ce n'est chez soi, jusqu'à l'ouverture en 1864 du premier salon de thé dans l'arrière-salle d'une boulangerie. Cette initiative fut couronnée de succès et d'autres sociétés productrices de tabac, de thé ou de gâteaux ouvrirent des salons de thé à Londres et dans toutes les autres villes de Grande-Bretagne. Ces établissements très populaires drainaient une clientèle hétéroclite. On y servait des mets sucrés ou salés, chauds ou froids, accompagnés d'une tasse de thé, le tout pour un prix modique et souvent en musique.

Sortir pour prendre le thé devint une mode qui atteignit son apogée à l'époque edwardienne (1901-1914), quand les hôtels de Londres et d'ailleurs se mirent à servir dans leurs salons des thés de 5 heures copieux et raffinés, avec un orchestre pour assurer l'accompagnement musical. En 1913 naquit la vogue des thés dansants, qui coïncida avec le tout nouvel engouement manifesté par les Londoniens pour le tango, cette danse sensuelle venue d'Argentine. Dans tous les coins de la capitale, les hôtels, les théâtres et les restaurants accueillirent des cours de tango et des thés dansants auxquels il était toujours de bon ton d'assister. Dans les journaux, on parlait de «la folie des *tango teas*».

*Le salon de thé à College Farm, Londres.*

Après les deux guerres, avec l'évolution des comportements sociaux et du mode de vie, le thé céda la place aux cocktails, puis l'entrée en scène des fast-foods et des cafés entraîna le déclin des thés en ville. Les Britanniques continuèrent bien sûr à boire du thé chez eux et à leur travail, mais il fallut attendre les années quatre-vingt pour assister à un regain d'intérêt pour le thé et l'heure du thé, qui remit au goût du jour les salons de thé.

# LE THÉ EN AMÉRIQUE DU NORD

Le thé se répandit inévitablement en Amérique du Nord avec les flots d'immigrants européens. New York (la Nouvelle-Amsterdam du temps des Hollandais), qui perpétuait les mêmes rituels qu'en Grande-Bretagne, en Hollande et en Russie, était la ville de l'amateur de thé par excellence.

*Caisses de thé jetées par-dessus bord dans le port de Boston.*

Comme il était difficile de se procurer de l'eau potable de qualité, on installa des pompes à eau spéciales tout autour de Manhattan. Les cafés et les *tea gardens* se multiplièrent. New York se dota de trois *Vauxhall*, d'un *Ranelagh* et d'autres encore portant les mêmes noms que leurs homologues londoniens.

Dans les villes, l'heure du thé présentait le même raffinement qu'en Europe. À Philadelphie et à Boston en particulier, le thé, l'orfèvrerie et la porcelaine de grand prix étaient des signes extérieurs de richesse. Dans les familles moins fortunées, le fait de boire du thé était une preuve de bonne éducation et de savoir-vivre.

Au début du XVIIIe siècle, les quakers buvaient le thé, «qui rendait gai sans enivrer», avec du sel et du beurre, alors qu'en Nouvelle-Angleterre le thé vert de Chine, généreusement parfumé, était très apprécié. Dans les campagnes, une théière restait en permanence sur le poêle, prête à l'emploi, pour la famille après les travaux des champs ou pour les visiteurs éventuels.

L'épisode de la Boston Tea Party mit fin à la relation privilégiée que l'Amérique entretenait avec les Britanniques et leur thé. Une nouvelle taxe sur le thé, imposée par le gouvernement britannique en 1767 afin de subvenir aux besoins de l'armée et des fonctionnaires de la Couronne dans les colonies, déclencha la révolte. Le thé de la Compagnie des Indes étant le seul qui pût être légalement importé et vendu en Amérique, il n'y avait aucun moyen d'échapper à la taxe. Moins de deux ans après, la plupart des ports américains boycottaient le thé anglais. Les passions s'exacerbèrent lorsque les Britanniques firent partir de Londres sept cargaisons de thé. À New York et à Philadelphie, des manifestants empêchèrent les vaisseaux d'accoster, alors qu'à Charleston les douaniers saisissaient la cargaison À Boston,

après une agitation qui dura plusieurs semaines, le *Dartmouth*, navire britannique ancré dans le port, fut pris d'assaut par un groupe d'hommes déguisés en Peaux-Rouges aux cris de : «Le port de Boston est une théière ce soir!» Dans les trois heures qui suivirent, ils jetèrent 340 caisses de thé par-dessus bord. La fermeture du port de Boston par le gouvernement britannique et l'arrivée de l'armée furent à l'origine de la guerre d'Indépendance... et de la passion des Américains pour le café.

---

 D'OÙ VIENT LE MOT THÉ ?

Avant que le mot the apparaisse dans la langue française, la feuille de thé était appelée *tcha*, *cha*, *tay* et *tee*. Le mot thé ne vient pas du mot mandarin *cha*, il est issu du mot amoy (dialecte chinois) *t'e*. Cela date de l'époque où les bateaux hollandais rencontraient les jonques chinoises près du port d'Amoy, dans la province chinoise du Fujian. Le mot devint *thee* en hollandais ; comme les Hollandais furent les premiers à introduire le thé en Europe, le nouveau produit s'appela *tee* en allemand, *te* en italien, en espagnol, en danois, en norvégien, en suédois, en hongrois et en malais, *tea* en anglais, *thé* en français, *tee* en finlandais, *teja* en letton, *ta* en coréen, *tey* en tamoul, *thay* en cingalais, et *Thea* pour les scientifiques. Le mot mandarin *cha* devint *ch'a* en cantonais et *cha* en portugais (lors du commerce avec Macao, qui parlait le cantonais), de même qu'en persan, en japonais et en hindi ; il devint *shai* en arabe, *ja* en tibétain, *chay* en turc et *chai* en russe.

# LA PRODUCTION DE THÉ

## LA PLANTE

L'ARBRE À THÉ *(Thea sinensis)* est une plante à feuilles persistantes de la famille des *Camelliae*. Les botanistes reconnaissent habituellement trois variétés étroitement liées – le théier de Chine, le théier d'Assam et le théier du Cambodge –, toutes commercialisées.

*Camellia sinensis*, l'arbuste chinois, atteint une hauteur comprise entre 2,70 et 4,50 m. Il croît en Chine, au Tibet et au Japon, supporte des températures très basses et donne des feuilles longues de 5 cm pendant cent ans. *Camellia assamica* est plutôt considéré comme un arbre : il atteint une hauteur comprise entre 13 et 18 m, avec des feuilles longues de 15 à 35 cm. Il prospère sous des climats tropicaux et produit pendant environ quarante ans. La variété cambodgienne, *Camellia assamica subspecies lasiocalyx*, de 4,50 m de haut environ, sert essentiellement à la production d'hybrides.

La plante donne des feuilles vert foncé brillantes et coriaces, ainsi que de petites fleurs blanches de 2 à 3 cm de diamètre environ, pourvues de six ou sept pétales, semblables aux fleurs de jasmin. Le fruit évoque la noix muscade et contient de une à trois graines. Les climats les plus favorables sont ceux où la température est comprise entre 10 et 29 °C, l'altitude entre 300 et 2 000 m, et où la pluviosité varie entre 2 000 et 2 300 mm par an. Cette association altitude/humidité favorise la croissance lente souhaitée. Plus l'altitude est élevée, plus le thé est parfumé et meilleure sera sa qualité. Nombreux sont les thés parmi les plus célèbres du monde – les

*La délicate fleur de* Thea sinensis.

Ceylan High-grown, les Wuyi de Chine, les meilleurs Darjeeling d'Inde – à être cultivés au-dessus de 1 200 m d'altitude.

Comme pour le vin, la saveur finale du produit et sa qualité sont tributaires de plusieurs facteurs : le climat, la nature du sol, l'altitude, les conditions atmosphériques, le moment de la récolte, ainsi que la méthode de traitement, le mélange, le conditionnement, le transport et la conservation.

# LA COMPOSITION DU THÉ

On trouve plusieurs composants chimiques dans les feuilles de *Camellia sinensis* (dont des acides aminés, des hydrates de carbone, des ions minéraux, de la théine et des polyphénols), qui donnent au thé sa couleur et son parfum caractéristiques. Les feuilles contiennent aussi de 75 à 80% d'eau, proportion qui, pendant les premiers stades de fabrication (le flétrissage), est réduite à 60-70%. Lors de la fermentation du thé noir et de l'Oolong, les polyphénols du groupe des flavanols (ou catéchines) s'oxydent au contact de l'oxygène de l'air, et sont à l'origine de la couleur et du parfum uniques de cette infusion. Le processus de dessiccation (séchage) met fin à l'action de l'enzyme qui cause l'oxydation, et diminue aussi la quantité d'eau pour n'en laisser que 3% environ.

L'arôme du thé noir est extrêmement complexe. À ce jour, plus de 550 composants chimiques ont été identifiés, dont des hydrocarbures, des alcools et des acides. La plupart se créent durant le processus de fabrication, et chacun d'entre eux enrichit l'arôme du thé de ses qualités propres. Le goût, lui, provient principalement des divers composants polyphénoliques (communément mais incorrectement appelés «tanins») modifiés par la théine.

La théine est un des principaux composants du thé. Elle agit comme un stimulant doux et augmente l'action des sucs digestifs. Toutes les variétés de thés – vert, Oolong et noir – contiennent de la théine, mais en quantité variable. Le thé vert en contient moins que l'Oolong, et l'Oolong moins que le noir. On estime qu'une tasse moyenne de thé vert contient 8,3 mg de théine, une tasse d'Oolong 12,5 mg et une de thé noir de 25 à 110 mg, alors qu'une tasse de café en contient de 60 à 120 mg. Ceux qui craignent la théine doivent boire les infusions claires et légères obtenues à partir de thés verts ou d'Oolong. Il faut noter aussi que la caféine du café est rapidement assimilée par le corps et entraîne une accélération de la circulation sanguine et de l'activité cardio-vasculaire, alors que les polyphénols du thé sont censés ralentir le processus d'assimilation. L'effet de la théine se ressent plus tardivement mais pendant plus longtemps – c'est pourquoi le thé est une boisson plus fortifiante et astringente que le café.

# LES SECRETS DE LA CULTURE DU THÉ

Par le passé, les plants de thé poussaient à partir de graines, mais de nos jours on procède de plus en plus par propagation végétative (bouturage et marcottage) et par clonage de boutures de feuilles. En reproduisant les plantes qui ont un bon rendement et qui résistent à la sécheresse, aux parasites et aux maladies, les producteurs cherchent à obtenir une qualité constante et une plus grande viabilité.

Les jeunes plants sont cultivés en pépinière et repiqués dans la plantation au bout de six mois environ, lorsqu'ils ont atteint 15-20 cm de hauteur. Chaque arbuste dispose d'un espace de 5 m² environ, et pendant deux ans, jusqu'à ce qu'il soit haut de 1,50-1,80 m, il ne sera ni taillé ni récolté. Il est ensuite rabattu à 30 cm du sol, pousse un peu puis est à nouveau taillé chaque semaine afin de ne pas dépasser la hauteur de la ceinture. La cueillette industrielle intervient au bout de trois à cinq ans, selon l'altitude et les conditions météorologiques.

Dans certaines régions du monde, les arbres croissent tout au long de l'année, alors que dans d'autres il existe une période de dormance en hiver. On cueille les feuilles dès l'apparition de nouvelles pousses. Sous les climats chauds, les arbres ont plusieurs périodes de bourgeonnement, alors que sous des climats plus frais la période de bourgeonnement est unique et plus brève. Les feuilles et les bourgeons des premières récoltes sont très recherchés, mais ce sont les deuxièmes récoltes qui sont censées donner les meilleurs thés. Pour obtenir un thé d'excellente qualité, les cueilleuses prélèvent seulement deux feuilles et un bourgeon sur chaque nouvelle

pousse et les placent dans des sacs ou des paniers accrochés dans leur dos.

Dans certaines régions, la récolte est mécanisée à cause du manque de main-d'œuvre. Des moissonneuses et des tracteurs spécialement adaptés ou des cisailles actionnées à la main ont remplacé la cueillette manuelle traditionnelle, très qualifiée. La qualité du thé s'en ressent inévitablement – les thés produits de cette façon sont utilisés pour les mélanges. Parallèlement, des recherches sont en cours pour améliorer la cueillette mécanique.

*Page ci-contre, en haut : jeunes plants dans une pépinière ; en bas : taille d'un jeune arbuste. Ci-dessus : après la cueillette, les fleurs et les bourgeons sont transportés dans des paniers pour être pesés. Ci-contre : cueillette manuelle.*

# LA FABRICATION DU THÉ

On croyait jadis que le thé vert et le thé noir provenaient de deux plantes différentes. Mais ce n'est que le mode de fabrication qui différencie les variétés – thés blanc, vert, semi-fermenté, noir, parfumé et compressé –, comprenant elles-mêmes plusieurs catégories, ce qui donne au total plus de 3 000 thés dans le monde entier.

## LE THÉ BLANC

Il est produit à très petite échelle en Chine (dans la province du Fujian) et au Sri Lanka. Les nouveaux bourgeons, cueillis avant d'être épanouis, sont soumis au flétrissage afin que l'humidité naturelle s'évapore, puis au séchage. Les bourgeons ont un aspect argenté (on les appelle parfois «pointes d'argent», *silver tips*) et donnent une infusion cristalline couleur mandarine pâle.

## LE THÉ VERT

On appelle souvent les thés verts thés «non fermentés». Les feuilles fraîchement cueillies sont séchées, puis torréfiées à très forte température pour empêcher la fermentation (ou oxydation) qui ferait pourrir la feuille. En Chine, le traitement du thé reste encore traditionnel et demande beaucoup de main-d'œuvre. Certaines manufactures ont cependant opté pour un traitement mécanisé. Selon la méthode traditionnelle, les feuilles vertes fraîches sont étalées en fine couche sur des plateaux de bambou et exposées au soleil ou à l'air chaud pendant une heure ou deux. Elles sont ensuite versées (par petites quantités successives) dans des plats chauds où on les remue vivement à la main. Elles deviennent moelleuses et douces à mesure que l'humidité s'évapore (pour certains thés verts de Chine, les feuilles sont chauffées à la vapeur). Au bout de cinq minutes, les feuilles ramollies sont roulées en boules sur des tables de bambou (dans les

*Pai Mu Tan Impérial, un thé de Chine.*

*Matcha Uji, un thé vert japonais en poudre.*

grandes fabriques, on le faisait avec les pieds), puis elles sont mises à nouveau dans les plats chauds et remuées rapidement avant d'être roulées une deuxième fois ou simplement séchées. Au bout d'une à deux heures, les feuilles prennent une couleur vert fade et ne subissent plus de transformations.

Au Japon, les feuilles sont rapidement chauffées sur un tapis roulant. Elles deviennent ainsi souples et tendres, prêtes à être roulées. On les fait refroidir puis on les roule à nouveau, on les tord et on les fait sécher, cela à plusieurs reprises, jusqu'à ce que toute l'humidité soit évaporée. On les roule une dernière fois pour leur donner une forme définitive, puis on les fait sécher. On les fait ensuite refroidir avant de les emballer dans des conteneurs hermétiques et de les expédier. Certains thés japonais sont toujours traités à la main, même si la plupart des manufactures sont maintenant mécanisées.

## LE THÉ SEMI-FERMENTÉ

Le thé semi-fermenté – dont font partie les Oolong – est fabriqué essentiellement en Chine et à Taiwan (que l'on appelle toujours Formose dans la terminologie propre au thé).

Pour le thé Oolong de Chine, les feuilles ne doivent pas être cueillies trop tôt et il est essentiel de les traiter immédiatement après cueillette. Elles sont tout d'abord flétries au soleil, puis agitées dans des paniers de bambou afin que leur bordure se tale légèrement. Elles sont ensuite alternativement remuées et

*Fenghuang Dancong, un thé Oolong de Chine.*

séchées jusqu'à ce qu'elles s'éclaircissent. Les bordures prennent une teinte rouge due à la réaction à l'oxygène.

Cette phase de fermentation ou d'oxydation est interrompue au bout d'une heure et demie à deux heures (12-20%) pour passer à la dessiccation. Les Oolong sont toujours des thés à feuilles entières, non roulées. Les Oolong de Formose, soumis à une période de fermentation plus longue (60-70%), sont plus noirs d'aspect que les Oolong de Chine. Ils donnent une infusion riche, d'une couleur plus sombre que celle brun orangé des Oolong de Chine.

Le Pouchong est une autre variété de thé peu fermenté, soumis à une fermentation moins longue que celle des Oolong, et qui constitue presque une catégorie particulière, à mi-chemin entre le thé vert et l'Oolong. Originaire de la province de Fujian, il est maintenant cultivé à Taiwan. Il sert souvent de base pour le thé au jasmin et d'autres thés parfumés.

## LE THÉ NOIR

Les méthodes et les variétés diffèrent selon les régions productrices, mais le traitement du thé se déroule toujours en quatre phases : flétrissage, roulage, fermentation et dessiccation. Selon la méthode traditionnelle (utilisée en Chine, à Taiwan, dans certaines régions d'Inde, au Sri Lanka, en Indonésie), qui donne des particules de feuilles plus grandes, on étale les feuilles au soleil (ou à l'ombre pour les variétés plus fines) afin qu'elles se fanent et deviennent suffisamment souples pour être roulées sans que la surface se fende. La feuille flétrie est ensuite roulée afin de libérer les composants chimiques indispensables à l'obtention de la couleur et du goût finals. Cette opération s'effectue à la main dans certaines fabriques, mais la plupart sont équipées de machines Rotorvane qui pressent à peine la feuille. Les feuilles de thé ainsi roulées sont ensuite brisées et le thé est étalé en couche mince sur des planches, des claies ou des plateaux, dans un lieu frais et humide. Elles y séjournent de trois heures et demie à quatre heures et demie heures afin d'assimiler l'oxygène, qui procurera une teinte rouge cuivré (fermentation).

La feuille est ensuite soumise à la dessiccation, qui stoppe sa décomposition. À ce

*Ndu, un thé du Cameroun.*

stade, la feuille devient noire et dégage la senteur spécifique du thé. Pour la dessiccation, on installait de grandes marmites sur des feux. Cette méthode a encore cours dans certaines fabriques chinoises, mais la plupart des producteurs font passer le thé dans des tunnels d'air chaud ou le sèchent dans des fours.

La méthode CTC (*cut, tear, curl* – broyage, déchiquetage, bouclage) donne des particules plus petites, qui infusent plus rapidement et sont idéales pour remplir les sachets. Les feuilles flétries passent entre deux rouleaux tournant en sens inverse et à des vitesses différentes. Avec le *legg-cutter*, elles sont comprimées, agglutinées puis désintégrées en minuscules particules. La suite du traitement est identique à celui des thés noirs orthodoxes.

# LE TRAITEMENT DU THÉ NOIR

*Les feuilles sont étalées sur de longs plateaux.*

*Lors du roulage, la machine presse à peine les feuilles.*

*Les feuilles brisées sont préparées pour la fermentation.*

*En séchant, les feuilles deviennent noires.*

*La machine CTC broie et déchire les feuilles en petits morceaux.*

## LES THÉS PARFUMÉS

Pour obtenir des thés parfumés, on utilise du thé vert, Oolong ou noir. Après traitement et avant conditionnement, les feuilles reçoivent un arôme supplémentaire. Pour le thé au jasmin, on ajoute les fleurs entières au thé vert ou noir ; pour le Pouchong ou le Congou à la rose, on mélange des pétales de rose avec de l'Oolong de Chine ou de Formose, ou avec du thé noir. Les thés parfumés aux fruits sont généralement obtenus en mélangeant les huiles essentielles de fruits aux feuilles de thé. Il ne faut pas confondre les tisanes ou les infusions aux herbes, aux fruits ou aux fleurs, qui ne contiennent pas de feuilles de *Camellia sinensis*, avec les thés parfumés.

*Thé de Chine parfumé à l'orchidée.*

## LES THÉS COMPRESSÉS

Sous la dynastie Tang, les producteurs chinois fabriquaient des galets ou des briques de thé solides en passant d'abord les feuilles vertes à la vapeur, puis en les compressant et en les faisant sécher. De nos jours, les briques de thé en provenance de Chine consistent en de la poussière de thé qui a été compressée hydrauliquement en plaques de 1 kg environ. On trouve aussi aujourd'hui des petits galets composés de sept couches, des nattes de thé et du thé compressé en forme de nid d'oiseau. Les thés Pu-erh, réputés pour leurs vertus médicinales, sont censés faciliter la digestion, soigner la diarrhée et le cholestérol.

*Tuocha Lubao, un thé de Chine compressé.*

# LES MÉTHODES DE PRODUCTION

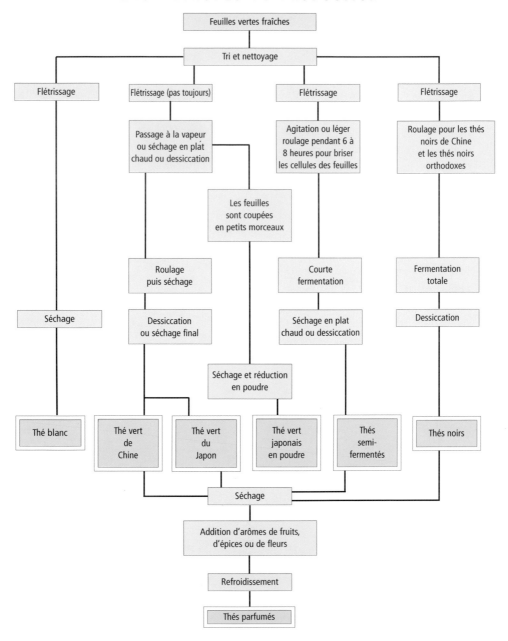

# LE THÉ BIOLOGIQUE

La production de thé biologique est relativement nouvelle, puisqu'elle date seulement d'une dizaine d'années. La culture du thé selon les méthodes biologiques est extrêmement compliquée et soumise à un contrôle rigoureux. Les engrais, pesticides et herbicides utilisés ne doivent contenir aucun produit chimique. Les plantations de culture biologique ont pour objectif de sauvegarder la fertilité du sol, de protéger l'environnement et de créer une sorte de micro-système naturel produisant un thé qui puisse être commercialisé de façon rentable sans apport de produits chimiques. Cela ne signifie pas que tous les thés non biologiques contiennent des produits chimiques, mais plutôt que l'on peut produire du thé biologique pour satisfaire les consommateurs de plus en plus nombreux qui, soucieux de l'environnement, apprécient le goût raffiné de certains thés biologiques produits aujourd'hui en Inde, en Afrique et au Sri Lanka. Le jardin de Makaibari à Darjeeling, reconnu dès 1990 par l'Association des agriculteurs biologiques de Grande-Bretagne, produit des thés très appréciés d'exceptionnelle qualité. Mullootor est un autre jardin de la région de Darjeeling à avoir opté pour le biologique en 1986, et Lonrho en Tanzanie produit du thé biologique depuis 1989. Au Sri Lanka, la plantation Needwood produit aussi des thés biologiques.

*Épandage d'engrais biologique dans une plantation de thé en Tanzanie.*

# La Classification

La dernière opération de traitement consiste à trier la feuille de thé. Lorsque les feuilles sortent des séchoirs ou des fours, elles passent dans des machines à cribler ou sur un long tamis équipé de grillages de tailles différentes. Les experts procèdent à une classification non pas selon la qualité ou le goût, mais selon l'aspect et la nature des feuilles (ou particules de feuilles). Toutefois, les grades les plus fins donnent presque toujours des thés de meilleure qualité. Il existe deux classes principales : les thés à feuilles entières et les thés à feuilles brisées *(broken)*.

La classification par grades est une phase décisive du processus de fabrication du thé, car, lorsque le thé infuse, son intensité, sa saveur et sa couleur se diffusent plus ou moins rapidement dans l'eau chaude selon la taille de la feuille – plus la feuille est grande, plus le thé infusera lentement, et inversement. Il est important de préparer une théière avec des morceaux de feuilles de taille identique. Quand on mélange différentes variétés de thés, chaque lot utilisé doit contenir des particules de taille régulière, faute de quoi les particules plus petites tomberaient au fond et créeraient un déséquilibre.

La terminologie de la classification se base sur la taille de la feuille. Il s'ensuit parfois que des morceaux de tailles diverses issus du même thé seront de qualité égale, si ce n'est que les plus petites particules infusent plus vite. Au sein de chaque grade provenant d'un seul jardin, il peut y avoir des variations de qualité dues aux conditions météorologiques ou au procédé de fabrication utilisé. On ajoute souvent le chiffre 1 aux lettres correspondant au grade pour désigner un thé de toute première qualité.

*Machine à trier, qui classifie les feuilles selon différents grades.*

# TERMINOLOGIE
# DE LA CLASSIFICATION

Les grades sont regroupés dans les catégories suivantes :

## Flowery Orange Pekoe (FOP)

Ce thé est composé du bourgeon et de la première feuille de chaque pousse. Le FOP est constitué de feuilles fines et souples, bien enroulées, avec une proportion correcte de *tips*, les fines pointes des bourgeons, qui sont une garantie de qualité.

## Golden Flowery Orange Pekoe (GFOP)

Thé FOP avec un nombre important de *golden tips*, les extrémités jaune doré des bourgeons.

## Tippy Golden Flowery Orange Pekoe (TGFOP)

Thé FOP de qualité exceptionnelle.

## Special Finest Tippy Golden Flowery Orange Pekoe (SFTGFOP)

Le meilleur thé FOP.

## Orange Pekoe (OP)

Il est composé de feuilles longues et effilées, plus grandes que celles du FOP, et qui ont été récoltées au moment où le bourgeon donne la feuille. L'OP contient rarement des *tips*.

## Pekoe (P)

Ce thé est composé de feuilles plus courtes et plus épaisses que l'OP.

## Flowery Pekoe (FP)

Pour ce thé, les feuilles sont roulées en boules.

## Pekoe Souchong (PS)

Il est composé de feuilles plus courtes et plus épaisses que le P.

## Souchong (S)

Les grandes feuilles sont roulées dans la longueur et donnent des morceaux irréguliers. Cette appellation est souvent utilisée pour les thés fumés chinois.

*Les grades des thés à feuilles brisées ou broken sont regroupés dans les catégories suivantes :*

**Golden Flowery Broken Orange Pekoe (GFBOP), Golden Broken Orange Pekoe (GBOP), Tippy Golden Broken Orange Pekoe (TGBOP), Tippy Golden Flowery Broken Orange Pekoe (TGFBOP), Flowery Broken Orange Pekoe (FBOP), Broken Orange Pekoe (BOP), Broken Pekoe (BP), Broken Pekoe Souchong (BPS)**

## Les Fannings et Dust

Les *Fannings* sont composés de morceaux plats et de poussières fines de thé ; ils sont utiles pour les mélanges destinés à remplir les sachets et qui doivent infuser rapidement. On ajoute aussi le chiffre 1 à la suite des grades de thés à feuilles brisées pour distinguer ceux de qualité supérieure.

Les *Fannings* et les *Dust* sont classés comme suit : **Orange Fannings (OF), Broken Orange Pekoe Fannings (BOPF), Pekoe Fannings (PF), Broken Pekoe Fannings (BPF), Pekoe Dust, Red Dust (RD), Fine Dust (FD), Golden Dust (GD), Super Red Dust (SRD), Super Fine Dust (SFD), Broken Mixed Fannings (BMF)**

## LES MÉLANGES

À l'issue des diverses phases de fabrication, les thés sont soit conditionnés et commercialisés sous l'étiquette de thés «de grands jardins» (ou thés «d'origine unique»), soit mélangés avec des thés provenant d'autres jardins, d'autres régions, voire d'autres pays producteurs. Les thés issus d'une même plantation peuvent voir leur goût et leur qualité varier d'une année sur l'autre, en raison des conditions météorologiques ou de changements dans le processus de fabrication. Certains amateurs préfèrent acheter du thé d'origine unique et apprécier

*Un mélange par un expert procurera un goût constant.*

ses subtiles variations d'année en année. D'autres, en achetant un produit particulier – par exemple un Darjeeling, un Ceylan BOP, un English Breakfast –, aiment savoir que leur infusion aura exactement le même goût. En associant des thés de différentes qualités, les négociants peuvent ainsi garantir une saveur et une qualité constantes d'une année sur l'autre.

Le mélange est un travail d'artiste. Les experts dégustateurs *(tea tasters)* échantillonnent des centaines de thés chaque jour pour trouver les composants d'un mélange (dont chacun peut combiner de 15 à 35 variétés différentes). Lorsque la formule d'un mélange est arrêtée définitivement et qu'elle a été testée sur un échantillon, on procède au mélange «en grand» dans des cuves pour obtenir une quantité de thé de saveur homogène, qui sera ensuite conditionnée dans des sachets, des paquets ou des caisses.

## L'ART DE LA DÉGUSTATION

La dégustation est une partie essentielle du travail des courtiers en thés et de ceux qui procèdent au mélange, les experts dégustateurs. Les courtiers goûtent les thés pour déterminer leur valeur avant la vente aux enchères, et les dégustateurs décident quels sont les thés nécessaires à la confection d'un mélange normalisé.

*L'expert dégustateur aspire une gorgée de thé, d'un petit coup sec.*

Pour préparer les thés destinés à être goûtés, les feuilles sèches sont disposées dans des récipients alignés sur la banque de dégustation. Un échantillon de chaque thé est placé dans une tasse spéciale munie d'un couvercle, puis recouvert d'eau bouillante. Le temps d'infusion est soigneusement chronométré (généralement cinq à six minutes). On verse l'infusion dans des bols en maintenant en place le couvercle qui retient les feuilles. En Grande-Bretagne, les dégustateurs ont l'habitude d'ajouter une petite quantité de lait car la plupart des mélanges destinés au marché britannique seront consommés ainsi. Le dégustateur aspire vivement une gorgée de thé, de façon à mouiller les papilles gustatives, il la fait circuler dans sa bouche pour en apprécier la saveur avant de la recracher dans un crachoir mobile (à roulettes). Le dégustateur prend aussi en compte l'apparence des feuilles sèches puis infusées, ainsi que la couleur et l'arôme de l'infusion.

# LE VOCABULAIRE
## DES DÉGUSTATEURS DE THÉ

Les dégustateurs de thé et les experts en mélanges *(blenders)* disposent d'une centaine de mots pour décrire l'aspect et la saveur d'un thé. Les plus courants sont les suivants :

**altéré :** thé à la saveur désagréable, due aux produits chimiques utilisés pour la culture, à l'humidité, à la pollution pendant le transport, etc.

**âpre :** thé au goût amer, avec peu de force

**astringente :** liqueur relevée sans être amère

**brillante :** liqueur qui n'est pas terne

**coloré :** thé de catégorie spéciale qui donne une liqueur de couleur vive et agréable

**corps :** un thé qui a du corps donne une liqueur forte et riche

**cuivrée :** liqueur au goût amer

**doux :** thé au goût rond et moelleux

**floconneux :** thé dont les feuilles forment des flocons ou des écailles plutôt que des morceaux entortillés

**frais :** thé à feuilles vives et fraîches

**goûteux :** thé qui a une saveur distinguée, savoureuse

**granuleux :** désigne des Fannings et des Dust de bonne qualité

**gris :** thé de couleur grise parce qu'il a été trop broyé ou parce que les sucs qui enrobent la feuille ont disparu par suite d'une manipulation excessive pendant le criblage

**grossière :** liqueur forte mais de qualité médiocre

**haché :** thé dont les feuilles sont passées dans des machines à broyer au lieu d'être roulées

**irrégulier :** thé à feuilles ou morceaux de feuilles de taille irrégulière

**léger :** thé ayant peu de corps à cause d'un flétrissage trop intense, d'un roulage trop court ou d'une température trop élevée lors du roulage

**malté :** thé avec un soupçon de malt

**moelleux :** thé doux, velouté, à l'opposé d'âpre

**ordinaire :** infusion banale, qui manque de caractère

**plat :** thé qui a perdu sa saveur, qui contient trop d'humidité

**régulier :** thé à feuilles sensiblement de la même taille

**terne :** infusion qui manque de brillance, peu attirante

**tip :** fine pointe des jeunes bourgeons

**torsadé :** thé aux belles feuilles roulées, opposé au thé à feuilles plates

**verdâtre :** infusion de couleur vert vif, peu attirante, due à un thé pas assez roulé ou pas assez fermenté

**vif :** thé bien fermenté et bien séché

**vigoureux :** thé à grandes feuilles ou avec de grands morceaux de feuilles

# LE COMMERCE DU THÉ

Avant les années 1840, époque des clippers, il fallait entre quinze et dix-huit mois pour acheminer à la voile le thé de Chine ou de Java jusqu'à Londres. Les grandes courses du thé, disputées par les clippers, étaient l'objet d'une immense publicité. De nos jours, le transport du thé se fait avec beaucoup moins de panache. Les immenses conteneurs sont remplis dans les pays producteurs (parfois dans les propriétés, mais plus souvent sur les docks), puis chargés sur des porte-conteneurs. Le thé en vrac se manipule avec d'extrêmes précautions et se stocke dans des cuves sèches lors du transport de la planta-tion ou de la manufacture jusqu'aux compagnies de transit et d'entreposage.

Au début, tout le thé était vendu à des transitaires qui l'expédiaient dans le pays consommateur et le vendaient aux enchères. La première vente eut lieu à Londres le 11 mars 1679, et dès le milieu du XVIIIe siècle des ventes aux enchères de thé de Chine furent organisées chaque trimestre. En 1861, les premières ventes aux enchères d'Inde eurent lieu à Calcutta, et par la suite des centres de vente aux enchères furent créés dans la plupart des pays producteurs – à Colombo en 1883, à Chittagong en 1949, à Nairobi en 1957, etc. Les ventes aux enchères internationales, instaurées en 1982, simplifièrent les transactions en raccourcissant les longs délais de transfert de fonds entre

*Le chargement du thé sur un cargo.*

l'acheteur et le courtier imposés par les enchères dédouanées.

Aujourd'hui, la moitié environ de la production mondiale de thé est vendue aux enchères publiques – seuls les thés de Chine font exception. Avant la vente, un petit trou est pratiqué dans chaque caisse de thé et des échantillons sont prélevés et envoyés aux acheteurs les plus importants. Si l'acheteur est satisfait du thé qu'il a goûté, il mettra une enchère dessus au moment de la vente. Il arrive que 50 000 caisses de thé (plus de 2 200 tonnes) soient vendues de cette façon. Le plus offrant expédie alors le thé qu'il a acheté pour honorer une commande, ou bien il envoie des échantillons à plusieurs importateurs disséminés dans le monde entier. Enfin, les cargaisons quittent leur pays d'origine pour rejoindre le pays importateur. Si la modernisation suit son cours, les ventes seront retransmises sur écran et les acheteurs n'auront pas à se déplacer.

# LE CONDITIONNEMENT

Jusqu'en 1368, le thé de Chine compressé en galets ou en briques se conservait et se transportait aisément. Les pavés, solides, ne risquaient ni de se désintégrer ni de perdre leur arôme. Cependant, l'apparition du thé en vrac sous la dynastie Ming posa de nouveaux problèmes de stockage et d'acheminement.

Les feuilles étaient transportées dans des paniers de bambou (l'arôme n'était guère protégé), puis déversées dans des jarres en faïence extrêmement lourdes ou dans des coffres laqués. Au début du XVIIe siècle, lorsque débuta le commerce avec l'Europe et l'Amérique, les jarres et les paniers, peu fonctionnels, furent remplacés par des caisses ordinaires en bois. Les variétés les plus courantes étaient emballées dans des caisses en bambou tapissées de papier paraffiné, de papier de riz ou de papier de bambou. Les thés de grande qualité étaient emballés dans des coffres laqués décorés ; la règle voulait que les plus petits coffres soient réservés aux thés les plus fins.

Quand la Grande-Bretagne commença à produire du thé d'Assam, elle fit fabriquer des coffres à Rangoon à partir de nécessaires spéciaux contenant des planches coupées à la longueur requise, des feuilles de plomb pour tapisser l'intérieur, et des feuilles de papier argenté pour couvrir le thé. Pour tasser le thé, on le piétinait ou on agitait les coffres. Ces méthodes primitives furent remplacées plus tard par des machines qui faisaient vibrer les coffres pour faire descendre le thé. La feuille d'aluminium se substitua à la feuille de plomb qui, pensait-on, risquait de contaminer le thé.

Les caisses sont de moins en moins utilisées aujourd'hui, mais elles jouent encore un rôle primordial dans le transport des thés à

*Caisses servant au transport des thés à grandes feuilles.*

grandes feuilles, plus chers, qui pourraient se briser dans les sacs en papier.

Les sacs sont constitués de plusieurs couches de papier épais et doublés d'une feuille d'aluminium qui protège le thé des odeurs et de l'humidité. Les sacs vides, livrés dans les plantations de thé du monde entier, sont remplis et transférés dans des conteneurs prêts à être expédiés ; la manutention s'en trouve grandement facilitée.

Avant les années 1820, le détaillant européen vendait le thé dans des cornets en papier. Selon les goûts des clients, il proposait des thés « purs » ou des thés mélangés. Le premier thé préemballé fut introduit sur le marché par John Horniman, avec l'intention d'inciter les clients à acheter un thé de marque – en l'occurrence, celui qui portait son nom – au lieu de n'importe quelle variété en stock chez le détaillant.

Son idée ne fit pas recette avant les années 1880, période à laquelle la plupart des compagnies commercialisèrent leurs thés de cette façon et lancèrent des campagnes publicitaires qui offraient toutes sortes de cadeaux (des pianos jusqu'aux pensions de veuvage!) pour l'achat de paquets de thé.

Actuellement, on trouve du thé conditionné dans une gamme d'emballages variés en bois ou en métal, joliment décorés. Certaines maisons emballent leur thé sous vide dans le pays d'origine afin de réduire au maximum le risque de détérioration.

*Le logo Transfair.*

## LE SYSTÈME DU FAIR TRADE

Le système du Fair Trade vise à réduire le déséquilibre existant entre les salaires payés aux employés travaillant à la production du thé (en particulier dans le tiers-monde) et les bénéfices réalisés par ceux qui le vendent. Selon le principe du Fair Trade, les négociants achètent directement leur marchandise à des petits groupes de producteurs et la vendent par correspondance. L'argent gagné par les producteurs sert à améliorer la qualité de vie des employés en finançant des caisses de retraite, des stages de formation, des programmes d'aide sociale ou médicale et de réhabilitation de

l'environnement. En 1995, par exemple, les premières primes ont été versées à la plantation d'Ambootia à Darjeeling, en Inde, qui en 1968 avait subi un glissement de terrain. Avec cet argent, on s'efforce de remettre en état la partie sinistrée et d'empêcher sa destruction, qui serait une menace pour la totalité de la plantation et pour les employés.

Les thés vendus selon le principe du Fair Trade, provenant de Darjeeling, d'Assam, d'Inde du Sud, du Sri Lanka, du Népal, de Tanzanie et du Zimbabwe, sont distribués dans de nombreux pays dont l'Allemagne, la Suisse, l'Italie, le Luxembourg, la Grande-Bretagne, les Pays-Bas, l'Autriche, le Canada, le Japon et les États-Unis.

# L'INDUSTRIE DU THÉ DANS LE MONDE

Au cours des trois ou quatre dernières décennies, la production de thé a augmenté de 156 %, et l'année 1995 a connu une récolte record de 2 900 000 t. Ce résultat est principalement dû à une amélioration des méthodes de production, à des techniques de plantation novatrices, à la culture de clones finement sélectionnés, à une surveillance sérieuse des parasites et des maladies, à un équipement plus performant, ainsi qu'aux progrès de la science et de la technologie. Parallèlement à l'augmentation de la production, la baisse régulière des cours du thé depuis 1963 a soulevé des problèmes dans certains pays producteurs, où les bénéfices ne compensent pas des coûts de production toujours en hausse.

Le rendement de chaque pays subit des fluctuations dues aux conditions météorologiques, à la situation politique et économique, à l'engagement personnel de chaque pays dans la production... Certains pays comme l'île Maurice, l'Ouganda et la Chine sont en train de réduire leur production.

Les modes d'importation et d'exportation ont évolué de façon significative : la demande de la part du Royaume-Uni a notamment tendance à décroître. La Grande-Bretagne est le plus grand consommateur de thé après l'Irlande, mais en 1995 les importations ont diminué de 8 % par rapport à l'année précédente, en partie à cause d'un été très chaud.

Aux États-Unis, le total des importations, atteignant 90 000 t, accusait une baisse de 16 % par rapport à 1994, en partie à cause de prévisions trop optimistes concernant la consommation de thés en bouteilles et en canettes.

Le Pakistan, la Russie et les autres pays de la CEI ont augmenté le chiffre de leurs importations, du fait de leur redressement économique et de conditions commerciales avantageuses pratiquées par les pays exportateurs. De plus, la consommation intérieure croissante de l'Inde, de la Chine et d'autres pays d'Asie a contribué à élargir la demande. L'Europe occidentale, dont certains pays comme la France et l'Allemagne manifestent un intérêt grandissant pour le thé, a aussi augmenté ses importations.

Dans tous les pays, le thé est en concurrence perpétuelle avec le café et les boissons non alcoolisées. Mais, chez les véritables amateurs, il existe une meilleure connaissance des nombreuses variétés de thé existantes et une volonté d'en déguster d'autres plus rares.

Le commerce du thé attend avec optimisme que les programmes de recherche en cours sur les bienfaits du thé encouragent les amateurs de thé à accroître leur consommation. Les médias rapportent d'ores et déjà que le thé diminue les risques d'infarctus ou de thrombose.

# LES OBJETS DU THÉ

## LES THÉIÈRES

**A**U DÉBUT de l'histoire du thé en Chine, on faisait bouillir les feuilles dans un récipient plein d'eau dépourvu de couvercle. Mais, sous la dynastie Ming, la mode voulut que l'on fasse tremper les feuilles dans l'eau bouillante ; on eut alors besoin d'une coupe munie d'un couvercle pour faire infuser le thé et garder la liqueur au chaud. Les aiguières (presque identiques aux théières modernes), qui depuis des siècles servaient en Chine pour verser le vin, furent adaptées pour le thé.

À la fin du XVIᵉ siècle, lorsque les Hollandais commencèrent à transporter des cargaisons de thé de Chine, les théières faisaient partie du voyage. Elles étaient petites, trapues, avec un large bec verseur que les feuilles ne réussissaient pas à boucher facilement. La poterie en grès chinoise était inconnue en Europe, et ce n'est que vers la fin des années 1670 que les potiers hollandais purent reproduire ces récipients résistant à la chaleur.

*Porcelaine chinoise, vers 1690.*

*Meissen, vers 1740.*

*Argenterie anglaise, 1729.*

Deux talentueux potiers des Pays-Bas, les frères Elers, exportèrent leur savoir-faire en Angleterre, s'installèrent dans le Staffordshire et devinrent les pionniers de la poterie anglaise.

Les Européens n'avaient jamais non plus entendu parler de cette poterie raffinée et translucide, connue sous le nom de porcelaine, que les Chinois avaient inventée sous la dynastie Tang. Il fallut aux frères Elers et aux autres potiers européens près de cent ans pour découvrir le secret de fabrication de la véritable porcelaine chinoise à pâte dure et de la porcelaine anglaise à pâte tendre. Les potiers britanniques se mirent à fabriquer des services à thé en grès et en porcelaine dure et tendre au XVIIIᵉ siècle, époque où des noms comme Wedgwood, Spode, Worcester, Minton et Derby devinrent célèbres. Ces premiers fabricants éprouvaient quelque difficulté à produire de grandes assiettes et des plats qui ne se voilent pas ou ne se brisent pas à la cuisson, mais les petits ustensiles que l'on utilisait pour le thé étaient faciles à réaliser.

La taille et la forme des théières évoluèrent au fil des ans, au gré des goûts et des modes. Les premières théières, inspirées de la tradition chinoise, étaient décorées de personnages et de symboles mythologiques. Par la suite, elles reflétèrent l'esprit des styles rococo et néoclassique propres au XVIIIᵉ siècle, ainsi que des styles richement ornés de l'ère victorienne. Aujourd'hui, il existe des théières de tailles et de formes variées, fonctionnelles ou très décorées, avec ou sans filtre incorporé. Certaines adoptent des formes originales : animaux, meubles, plantes, véhicules, personnages de la littérature, personnalités du show-biz et de la scène publique…

Porcelaine du Staffordshire,
vers 1900.

Coalport, vers 1800-1805.

Noritake, vers 1930.

## LES THÉIÈRES À FILTRE INCORPORÉ

On trouve aujourd'hui sur le marché plusieurs modèles de théières en verre équipées d'un infuseur ou filtre incorporé. Il suffit, après avoir ébouillanté la théière, de placer la quantité requise de feuilles dans le filtre et de verser l'eau frémissante par-dessus. Couvrez et laissez infuser. Retirez le filtre dès que le thé vous paraît assez fort.

*Ci-dessous : théière en verre Jena et sa veilleuse. Admirée pour son design, elle est exposée au musée d'Art moderne de New York.*

*En bas : théière moderne avec filtre et verre à thé.*

## LES THÉIÈRES À PISTON

Avec ce style de théière, l'idée est d'isoler les feuilles après infusion comme le café dans une cafetière.

Une fois que le thé vous semble suffisamment infusé, enfoncez le piston pour éviter tout contact entre les feuilles et l'eau chaude ; ainsi, aucune poussière de thé ne s'échappera dans l'eau. Cette théière est pratique car on ne risque pas de faire goutter le filtre en le sortant.

*Théière avec filtre et piston.*

## LES INFUSEURS

Les théières traditionnelles en sont rarement équipées, mais il existe sur le marché une grande variété d'infuseurs qui peuvent s'utiliser dans les théières de tous styles, ou directement dans les tasses, les bols ou les chopes. Ils sont de grosseurs diverses et fabriqués dans des matériaux variés. Évitez les cuillères à thé, qui emprisonnent les feuilles et les empêchent de libérer leur arôme. Les grandes feuilles se dilatent énormément; si elles n'ont pas la place de se développer, les composants du thé qui donnent du goût à l'infusion ne pourront pas transiter de la feuille à l'eau.

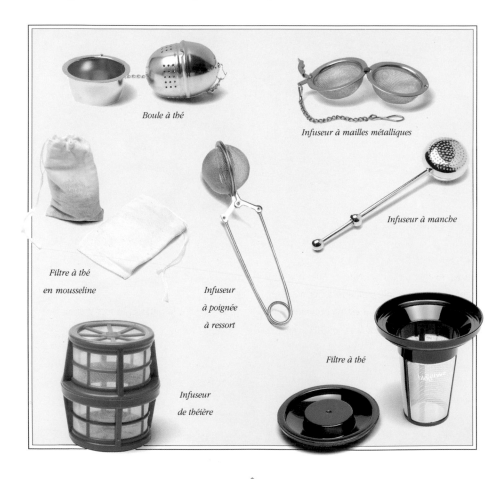

Boule à thé

Infuseur à mailles métalliques

Infuseur à manche

Filtre à thé
en mousseline

Infuseur
à poignée
à ressort

Filtre à thé

Infuseur
de théière

*Tasses en porcelaine avec filtre.*

## LES TASSES À FILTRE

Les tasses à filtre sont un excellent moyen de servir le thé individuellement. Elles s'inspirent de la tasse à infuser chinoise munie d'un couvercle, le *guywan*. Il est recommandé de retirer les feuilles de thé noir ou d'Oolong de l'eau bouillante une fois que la liqueur est infusée.

Ébouillantez la chope avec de l'eau frémissante avant de faire infuser le thé selon l'usage *(voir page 76)*. Placez la quantité de thé souhaitée dans le filtre, puis versez de l'eau bouillante par-dessus pour le thé noir et l'Oolong, et de l'eau à peine frémissante pour les thés vert ou blanc. Une fois que l'infusion est prête, retirez le filtre.

## LE GUYWAN (tasse à infuser chinoise)

Le *guywan* (le mot mandarin pour tasse à infuser, *zhong* ou *cha chung* en cantonais) est utilisé en Chine depuis 1350 environ. Il comprend une soucoupe, une tasse et un couvercle qui s'utilisent ensemble. Pour faire infuser le thé noir ou Oolong selon la mode chinoise, il convient d'abord de placer le thé au fond du *guywan*.

*Guywan chinois.*

Remplissez la tasse d'eau bouillante jusqu'à mi-hauteur et videz-la immédiatement en tenant la tasse et la soucoupe ensemble et en retenant les feuilles avec le couvercle. Retirez le couvercle et humez l'arôme des feuilles juste « rincées ». Si vous faites infuser du thé vert, omettez cette première étape.

Ensuite, versez de l'eau frémissante dans le *guywan*, non directement sur les feuilles, mais le long des parois. Avec du thé vert, ne couvrez pas la tasse ; laissez-le infuser pendant deux à trois minutes, puis buvez-le. Avec du thé noir ou de l'Oolong, couvrez la tasse et laissez infuser pendant le nombre de minutes requis (consultez le guide).

Pour boire au *guywan*, tenez la soucoupe dans le creux de la main droite. De la main gauche, soulevez le couvercle en l'inclinant légèrement vers le bas afin qu'il retienne les feuilles pendant que vous aspirez la liqueur.

Avant de tout boire, rajoutez de l'eau bouillante, toujours en la faisant couler le long des parois. La troisième eau peut être versée directement sur les feuilles. Continuez à boire et à verser de l'eau tant que les feuilles dégagent un agréable parfum.

## LES THÉIÈRES DE YIXING

Depuis l'an 2500 av. J.-C., on fabrique à Yixing, au sud de Shanghai, de la poterie raffinée. C'est, dit-on, un moine d'un temple avoisinant qui aurait créé la première théière de Yixing non émaillée, en *zisha* (sable pourpre), autour de l'an 1500. La terre avait la propriété de garder le thé plus chaud que la porcelaine : les théières brun-rouge ou vertes devinrent très populaires en Chine comme au Japon. Elles avaient des formes fantasques de fleur de lotus, de narcisse, de fruits, de tronc de bambou – ou bien très simples, qui laissaient la beauté de la terre parler d'elle-même.

Aujourd'hui, elles sont encore très prisées par les connaisseurs. La terre non émaillée est censée mieux révéler l'arôme des thés chinois, particulièrement fins. Il faut un certain temps pour que les parois intérieures d'une théière neuve se tapissent d'un dépôt brun qui donnera son propre parfum au thé ; dans l'idéal, une telle théière en terre cuite ne devrait être utilisée que pour un seul type de thé. Faites infuser le thé selon la méthode habituelle, en observant les règles d'or *(voir page 76)*.

*Théière chinoise de Yixing en terre rouge, décorée de fleurs émaillées.*

## LES BOLS À THÉ JAPONAIS

Les grands bols à thé qui servent à préparer le thé vert en poudre au Japon se déclinent sous des formes variées. Le bol doit être relativement épais (s'il l'est trop, il ne se réchauffe pas assez; s'il est trop fin, on ne peut pas le tenir), doux au toucher, assez grand pour que le fouet en bambou puisse être activé librement et avec efficacité. Les ustensiles en *raku* fabriqués au Japon présentent, semble-t-il, les mêmes critères que le bol à thé vert. Quant aux bols fabriqués en Corée, initialement prévus pour le riz, ils sont agréables au toucher et conviennent eux aussi parfaitement.

Pour faire infuser du thé vert en poudre, mettez une bonne cuillerée de Matcha (thé vert en poudre japonais) dans un bol et versez délicatement 8 cuillerées à café d'eau chaude à la température de 85 °C. Battez ce mélange avec un fouet en bambou *(cha-sen)*, jusqu'à obtention d'une liqueur riche et mousseuse.

*Bol et fouet japonais utilisé pour battre le thé vert en poudre.*

## LES COUVRE-THÉIÈRES

Les couvre-théières doivent être utilisés avec précaution. Si on les place sur une théière contenant des feuilles de thé et de l'eau chaude, le thé risque d'être trop infusé et de prendre un goût amer. Il vaut mieux faire infuser le thé avec un filtre et retirer le filtre lorsque le thé vous paraît suffisamment fort, avant de mettre le couvre-théière. Sinon, passez le thé infusé dans une seconde théière préalablement ébouillantée, puis mettez le couvre-théière.

Certains fabricants vendent toujours ce type de théière très populaire dans les années trente et quarante – la théière cosiware –, pourvue d'un filtre encastré dans le col qui s'enlève aisément et d'une enveloppe isotherme en chrome qui permet de garder le thé chaud.

## BOÎTES À THÉ
## ET DOSEURS À THÉ

Les premiers récipients utilisés pour conserver le thé à domicile étaient les jarres et les bouteilles qui arrivaient de Chine avec les cargaisons de thé. C'était en général des pots petits et renflés, souvent en porcelaine bleu et blanc, munis de couvercles en forme de tasse qui servaient de mesure. Petit à petit, les Européens se mirent à fabriquer toute une gamme de récipients de formes et de tailles diverses – des boîtes, des bouteilles et des pots ronds, carrés ou cylindriques, en argent, en cristal, en grès ou en bois.

Le mot *caddy* ne fut utilisé pour désigner ces boîtes à thé qu'au XVIIIe siècle, lorsque le mot malais *kati* (désignant une mesure de 600 g environ) fut adopté par la langue anglaise. Les coffres à thé du début du XVIIIe siècle étaient divisés en compartiments séparés destinés à recevoir plusieurs sortes de thés et parfois du sucre. Tous étaient munis d'un cadenas ou d'une serrure – la maîtresse de maison en gardait les clés, car c'était elle qui préparait le thé pour la famille et les invités. Le thé était un produit bien trop recherché et coûteux pour le laisser sous la responsabilité des domestiques, aussi le coffre restait-il dans le salon.

*Doseurs à thé.*

*Coffret à thé anglaise d'inspiration militaire, vers 1860.*

*Coffret à thé en papier filigrané.*

À la fin du XVIIIe siècle et au XIXe, les boîtes et les coffres étaient confectionnés dans des matériaux variés, dont du bois précieux, de l'argent, de l'écaille de tortue, de la nacre, de l'ivoire, de la porcelaine et du cristal. Au XVIIIe siècle, les Chinois commencèrent à fabriquer des récipients en forme de fruits, et on vit apparaître des imitations en bois réalisées en Angleterre et en Allemagne en forme de poire, de pomme, de fraise, d'aubergine, d'ananas et de melon. Certains étaient peints, mais la plupart étaient vernis, et leurs couvercles à charnières se soulevaient pour dévoiler l'intérieur revêtu d'une feuille d'aluminium où l'on remisait le thé. À la fin du XIXe siècle, le thé devenant moins onéreux, l'usage des boîtes munies de serrures se raréfia. Les feuilles de thé furent reléguées dans des boîtes bon marché, dorénavant entreposées à la cuisine.

Les premiers doseurs à thé étaient des louches à long manche qui servaient à prendre le thé dans la caisse qui le contenait. À partir de 1770 environ, des doseurs à manche court firent leur apparition. Destinés à entrer dans des boîtes plus petites, ils avaient souvent la forme d'une coquille Saint-Jacques, car les marchands orientaux avaient coutume de mettre une véritable coquille Saint-Jacques dans les caisses de thé pour permettre aux acheteurs potentiels de prélever des échantillons avant d'acheter. On fabriqua des doseurs en forme de feuille, de gland, de saumon, de chardon et de pelle, mais les formes les plus répandues étaient le coquillage, la casquette de jockey, la main et l'aile d'aigle. Le motif de la coquille Saint-Jacques apparaît aussi souvent sur les cuillères des services à thé, les passoires et les pinces à sucre.

Passoire en bambou

Passoire anglaise

Passoire
basculante

Passoires
en porcelaine
et en argent

# LES PASSOIRES

Si vous utilisez du thé en vrac, une passoire est indispensable pour retenir les feuilles tout en versant le thé dans la tasse. On trouve dans le commerce toutes sortes de passoires, dont les plus jolies sont en argent et en chrome. Il est préférable de reléguer à la cuisine les articles en plastique et en acier inoxydable.

L'ancêtre de la passoire à thé actuelle, dont l'usage s'est répandu vers la fin du XVIII<sup>e</sup> siècle, était le passe-thé. Ce petit bol percé, pourvu d'un long manche doté d'une extrémité pointue, fit son apparition vers la fin du XVII<sup>e</sup> siècle. Il portait aussi le nom de cuillère à olives ou de cuillère à mûres. La pointe servait peut-être à attraper des olives ou des fruits dans un bocal, mais on pense surtout qu'elle permettait de dégager la base du bec de la théière, encombrée de feuilles gorgées d'eau. Cette cuillère servait au départ de doseur, pour transvaser le thé de la boîte à la théière (la poussière de thé tombait alors par les trous), puis pour éliminer les poussières indésirables et les impuretés flottant à la surface de l'infusion. Les passe-thé cédèrent progressivement la place aux passoires.

Les premières passoires étaient en fil métallique ou en bambou tressé ; comme pour tous les ustensiles servant à la préparation du thé, les formes et les styles évoluèrent au fil des siècles pour s'adapter aux différentes modes.

# PINCES À SUCRE ET CUILLÈRES À THÉ

L'usage du sucre dans le thé s'est répandu en Grande-Bretagne et dans les colonies vers la fin du XVII<sup>e</sup> siècle. À cette époque, on trouvait des pains de sucre en forme de cône qu'il fallait casser avant de se servir. Chaque cuisine était équipée de tenailles en fonte et de petites haches pour casser le sucre à la demande. Pour le thé, ces morceaux étaient placés dans un sucrier et on les saisissait à l'aide de jolies pinces à sucre en argent. Les premières avaient la forme de pinces à charbon miniatures, puis, vers 1720, elles prirent la forme de ciseaux pointus, pour se transformer vers 1770 en des pinces plus pratiques en forme de cuillère.

Les cuillères à thé firent leur apparition avec l'usage croissant du sucre. Elles étaient petites et légères, pour s'accorder avec les bols à thé importés de Chine, eux-mêmes de petite taille : c'était des cuillères à soupe miniature. Vers 1800, avec l'influence française, elles devinrent plus grandes, mais elles retrouvèrent leur taille initiale vers 1870. Les premières cuillères étaient richement ornées et portaient au dos des volutes, des plumes, des feuilles, des emblèmes, des devises et des armoiries. Cette mode s'éteignit au début du XIX<sup>e</sup> siècle et, à partir de 1850, on revint à des cuillères beaucoup plus simples. Aujourd'hui, les cuillères à thé se vendent généralement par lots de six, accompagnées de pinces à sucre pour servir le sucre en morceaux.

# BOLS À THÉ, TASSES ET SOUCOUPES

La première vaisselle à thé utilisée en Europe venait de Chine avec les cargaisons de thé acheminées par bateau au milieu du XVII<sup>e</sup> siècle ; c'est à cette époque que le mot *chine* entra dans

*Tasse à thé et soucoupe Newhall, vers 1800.*

*Bol à thé Coalport.*

*Tasse à thé et soucoupe Staffordshire, vers 1835.*

Bol à thé oriental, vers 1900.

Porcelaine anglaise, vers 1930.

Tasse à thé et soucoupe de marque Amherst.

Tasse à thé et soucoupe japonaises.

notre langue pour désigner toute la porcelaine de Chine. Dans la langue anglaise, le mot *china* désigne toujours la porcelaine.

Les premiers bols à thé n'avaient pas d'anses. De plus, ils étaient minuscules, ne contenant que deux à trois cuillerées à soupe de thé. Ils étaient profonds de 5 cm environ et leur diamètre était à peine plus grand. Entre 1650 et 1750, le bol s'agrandit et on parla d'une «assiette» à thé plutôt que d'une

tasse. On envoyait parfois des modèles de dessins décoratifs en Chine, alors que la porcelaine de Chine était décorée par les potiers anglais. Les potiers chinois n'avaient pas prévu de soucoupes, mais elles devinrent rapidement des pièces essentielles du service à thé. Aux XVIIIe et XIXe siècles, les soucoupes étaient plus profondes. On pouvait y verser un peu du thé brûlant de la tasse et le faire tiédir avant de le boire.

# LE SERVICE À THÉ

Au cours du XIXᵉ siècle, la vogue de l'*after-noon tea* incita les orfèvres, les fabricants de linge de maison et de vaisselle à produire toute une gamme d'ustensiles pour le thé. Au XVIIIᵉ siècle, un service à thé complet comprenait habituellement douze bols ou tasses à thé avec leurs soucoupes, un pot à lait, un sucrier, un bol à déchets, un plateau à cuillères, un dessous de théière, un guéridon, une boîte à thé, un pot à eau chaude, une cafetière, des tasses à café et leurs soucoupes. Au XIXᵉ siècle apparurent des assiettes à dessert et des petites assiettes. On trouvait aussi des pièces de vaisselle en argent comme la théière, le pot à eau chaude, le sucrier et le pot à lait ou à crème, générale-ment disposés sur un plateau assorti. D'autres services incluaient cuillères à thé, passoires, couteaux à thé, couverts à dessert, nappes et serviettes, napperons, couvre-théières et boîtes à thé.

*Service à thé anglais traditionnel.*

# LE SAVOIR-FAIRE DU THÉ

## ACHETER ET CONSERVER LE THÉ

**A**VEC l'intérêt croissant qui s'est manifesté pour les thés «de grands jardins» ces dix dernières années, on a vu arriver sur le marché un large éventail de produits nouveaux. Les consommateurs ont la possibilité de se procurer leur thé de trois manières différentes – dans les boutiques spécialisées, dans les grands magasins et les épiceries fines, et par correspondance. Le seul moyen de tester les produits mis à votre disposition est de les goûter.

### LES BOUTIQUES SPÉCIALISÉES

Dans les boutiques de renom, les thés de grands jardins à feuilles entières sont conservés dans de grandes boîtes hermétiquement closes et le consommateur les achète au détail. On peut aussi trouver du thé préemballé dans des boîtes ou des paquets, à l'intention de l'acheteur pressé ou pour offrir. Les vendeurs sont censés connaître leurs produits et pouvoir répondre à vos questions. Vous pouvez acheter n'importe quel thé, peu importe la quantité.

Si vous fréquentez le magasin pour la première fois, ne prenez qu'une petite quantité pour commencer. Lorsque vous êtes vraiment sûr qu'un thé est à votre goût, réapprovisionnez-vous. Pour éviter de gâcher

*Le comptoir de l'un des magasins Mariage Frères à Paris.*

votre thé à la maison, il est préférable d'en acheter peu et souvent.

Demandez aussi à voir le thé avant de l'acheter. Les feuilles sèches doivent être brillantes et avoir un aspect régulier, avec des particules sensiblement de la même taille, sans brindilles ni tiges. Quand on fait infuser les feuilles, la liqueur obtenue doit être cristalline. Les thés noirs donnent une liqueur brillante, un peu rouge, les Oolong donnent une liqueur brun orangé ou brun foncé, et la liqueur des thés verts doit être vert doré. Les thés de bonne qualité ne donnent jamais de liqueurs ternes ou troubles.

Leur goût est rond et frais et, pour les thés verts, très léger. Toute altération, odeur de moisi, fadeur ou saveur trop prononcée, qui ne sont pas normalement associées au thé, sont le signe d'une mauvaise manipulation ou conservation, ou d'une contamination survenue pendant le trajet entre l'arbre et la tasse.

# LES GRANDS MAGASINS ET LES ÉPICERIES FINES

Ils sont moins habilités à proposer des thés de grands jardins et ne vendent probablement que des thés préemballés. Cependant, on doit pouvoir se procurer des thés de bonne qualité dans les magasins renommés. Si vous n'êtes pas satisfait de votre achat, rapportez-le et expliquez-leur le problème. Si vous vous apercevez que vous avez simplement choisi un thé que vous n'aimez pas, ne

*Liqueur de thé noir.*

*Liqueur de thé semi-fermenté.*

*Liqueur de thé vert.*

le laissez pas s'éventer sur une étagère de votre placard à provisions, donnez-le à quelqu'un qui saura l'apprécier.

# LA VENTE PAR CORRESPONDANCE

Le nombre des sociétés proposant un service de vente par correspondance augmente rapidement, et il est intéressant d'essayer plusieurs thés commercialisés par des sociétés différentes jusqu'à ce que vous ayez trouvé votre bonheur. Le problème des sociétés non spécialisées qui vendent des thés de grands jardins est qu'elles les achètent probablement à des importateurs et n'en écoulent que de petites quantités. Le thé risque de sécher avant même d'avoir été vendu. Soyez vigilant et commandez la plus petite quantité proposée ; encore une fois, si vous n'êtes pas satisfait, changez de fournisseur.

Une fois que vous avez acheté votre thé, il est important d'en prendre soin. Conservez-le dans une boîte hermétique (en métal ou en céramique, mais non en verre) que vous entreposerez dans un lieu frais et sec, à l'écart des aliments très odorants, car le thé s'approprie aisément les autres senteurs.

# CHOISIR SON THÉ

La palette des thés est tellement vaste que chacun doit faire son choix en fonction de son goût personnel. Les thés blancs ou les Oolong conviendront à ceux qui aiment un thé très léger, pauvre en théine et à la saveur douce. Les thés verts de Chine ou du Japon plairont à ceux qui aiment la sensation de fraîcheur aromatique que procure le thé vert. Les buveurs de thé noir sauront voir les différences entre la subtilité des thés à grandes feuilles chinois, les infusions plus sombres et plus corsées obtenues à partir de thés à feuilles brisées et de Dust, et les liqueurs robustes obtenues avec les thés CTC*.

Lorsqu'il achète du thé, le consommateur doit connaître les grades *(voir page 39)* de

façon à choisir le meilleur thé d'un jardin ou d'une région. Par exemple, si vous cherchez un thé pour l'après-midi, il vaudra mieux prendre un Darjeeling *second flush* FTGFOP à feuilles entières (Finest Tippy Golden Flowery Orange Pekoe), à la saveur délicate, qu'un TGBOP à feuilles brisées (Tippy Golden Broken Orange Pekoe), au goût plus corsé.

---

*CTC : procédé moderne utilisé pour briser les cellules des feuilles de thé ; les thés CTC se présentent sous la forme de fines particules régulières. S'oppose au procédé classique ou orthodoxe.

*Classification des feuilles par grade en Chine.*

Un détaillant chevronné doit être capable d'expliquer à ses clients les différences qui existent entre les thés qu'il propose et de les conseiller en fonction de leurs goûts. Le client ne dispose pas toujours d'un grand choix, mais il est en droit de penser que la personne responsable des achats a sélectionné les meilleurs thés parmi les nombreuses variétés disponibles sur le marché.

Certains connaisseurs de thé assez fortunés pourront profiter de voyages dans les pays producteurs pour goûter certains thés rares ou exclusifs.

## LES THÉS PARFUMÉS ET LES MÉLANGES

Les thés parfumés sont des thés blancs, verts, Oolong ou noirs qui ont été traités puis mélangés à des épices ou à des herbes, à des pétales de fleurs ou à des huiles essentielles de fruits. Dans tous les cas, ces parfums ont été mélangés à des feuilles de *Camellia sinensis* ou de *Camellia assamica* – les thés ainsi obtenus ne doivent pas être confondus avec les infusions à base de fruits ou de plantes, qui ne contiennent pas de thé.

Depuis qu'ils ont découvert le thé, les Chinois le parfument, soit en ajoutant des fleurs ou des fruits aux feuilles déjà traitées,

soit en ajoutant des ingrédients supplémentaires – à l'eau qui servira à faire le thé, ou à l'infusion elle-même.

Certains thés chinois ont un parfum naturel d'orchidée sauvage parce que ces fleurs poussent sur les plantations à proximité des théiers. D'autres ont le parfum des fleurs d'arbres fruitiers disséminés dans les plantations qui s'épanouissent au moment où les théiers donnent leurs nouveaux bourgeons. Tous les thés ont la propriété d'absorber sur-le-champ les autres senteurs (c'est pourquoi il faut les conserver loin de tout autre aliment ou produit odorant). Le thé vert est celui qui se parfume le mieux.

Les Chinois ont trois façons de dénommer leurs thés parfumés. Ils utilisent le nom de la fleur qui a servi à le parfumer, par exemple Moli Huacha (thé au jasmin) et Yulan Huacha (thé au magnolia); ou bien le nom du thé non parfumé est précédé de Hua (qui signifie fleur), par exemple Hualongjing et Hua Oolong; ou le nom du fruit, par exemple Lizhi Hongcha (Litchi noir).

En Europe, les *blenders*, ces experts qui procèdent aux mélanges, utilisent généralement le nom du fruit ou de l'épice qui a été ajouté au thé nature (par exemple, thé à la mangue, thé au fruit de la passion), ou bien ils attribuent au mélange un nom particulier – tel Casablanca, thé commercialisé par Mariage Frères à Paris, qui contient de la menthe du Maroc et de la bergamote.

## THÉS PARFUMÉS CLASSIQUES

### Le thé au jasmin

Le thé au jasmin, originaire de Chine (surtout de la province du Fujian) et de Taiwan, est un thé de Chine très prisé depuis la dynastie Song (960-1279 apr. J.-C.). Les fleurs de jasmin, à la senteur délicate, sont cueillies le matin et remisées dans un endroit frais pendant la journée. Le soir, quand elles s'ouvrent, elles sont empilées près du thé vert, Oolong ou noir selon des proportions très précises. Il faut compter environ quatre heures pour que le thé s'imprègne de l'arôme du jasmin. Pour les qualités ordinaires, on étale le thé et on le remet en tas pour le parfumer une deuxième et une troisième fois. Pour les qualités supérieures, on renouvelle ces opérations sept fois de suite sur une période d'un mois. Les feuilles sont ensuite soumises à une seconde dessiccation pour éliminer l'humidité. On peut alors retirer les pétales de jasmin, ou bien les mélanger au

Perles de thé au jasmin.

Thé au litchi.

Thé à l'orchidée.

Thé à la rose.

thé par souci esthétique. Parfois, au lieu d'être entassées à côté, les fleurs sont étalées avec le thé dans des caisses spéciales. Dans certaines manufactures, la mise en tas et le mélange se font mécaniquement.

Le Jasmin Monkey King a un parfum délicieux, sa liqueur est légère, exquise et subtile. C'est une boisson rafraîchissante qui se consomme toute la journée ou le soir, seule ou en accompagnement de mets épicés et de volailles.

La Perle de thé au jasmin est un pur délice, à regarder comme à boire. Des feuilles de couleur pâle, façonnées en grosses perles, sont mélangées à des fleurs de jasmin. On boira ce thé d'excellente qualité, au parfum raffiné et délicat, avec les mets salés ou bien en digestif.

Il existe bien d'autres thés au jasmin qui valent la peine d'être essayés. Cherchez du Jasmin Chung Feng, du Jasmin Heung Pin et du Jasmin Hubei, qui sont des thés verts. Goûtez aussi le Jasmin Pouchong, légèrement fermenté, le Mandarin Oolong, semifermenté, le thé blanc Yin Hao Silver Tip et, pour finir, le Jasmin Yunnan (thé noir).

## Le thé au litchi

Le Lizhi Hongcha est un thé noir parfumé au jus de litchi, l'un des fruits les plus répandus en Chine, qui donne une liqueur à la saveur acide, presque citronnée. Il se boit volontiers seul, à n'importe quel moment de la journée ou de la soirée.

## Le thé à l'orchidée

Ce thé de qualité supérieure, originaire de la province du Guangdong, est parfumé avec les fleurs de *Chloranthus spicatus*. Il donne une liqueur rouge vif à l'arôme riche. C'est une boisson rafraîchissante et apaisante, qui se consomme à n'importe quel moment du jour ou de la nuit.

## Le thé à la rose

Le Meigui Hongcha est un thé noir à grandes feuilles, parfumé avec des pétales de rose. Il donne une liqueur dorée, subtile, à la saveur douce et à l'arôme musqué. Il doit se servir sans lait, pour accompagner des mets légers, salés ou sucrés, ou bien se déguster seul.

Essayez aussi d'autres thés de Chine parfumés, dont ceux au magnolia et au chrysanthème.

## THÉS PARFUMÉS ACTUELS

Il existe aujourd'hui de nombreuses variétés de thés «fantaisie». Les parfums les plus répandus et les plus appréciés sont les suivants : le cassis, la cerise, les agrumes – notamment le citron et l'orange (zeste) –, le gingembre, la mangue, le thé vert à la menthe, le fruit de la passion et les fruits rouges

Il existe également des thés parfumés à base de thés verts japonais, parmi lesquels nous recommandons particulièrement le Rose Sencha et le Sakura (du Sencha parfumé à la cerise).

## MÉLANGES CLASSIQUES

Chaque maison crée ses propres mélanges *(blends)* pour satisfaire les goûts les plus divers et s'adapter à tous les moments de la journée. Il n'y a pas de règle absolue quant à leur composition, mais il existe cependant quelques mélanges classiques qui comprennent toujours les mêmes thés.

### Le thé Earl Grey

Traditionnellement, c'est un mélange de thés de Chine ou de thés de Chine et de thés indiens parfumés à l'essence de bergamote (extraite du cédrat, un fruit qui ressemble au citron). Les histoires sur l'origine du nom varient quelque peu. Selon l'une d'elles, un diplomate britannique en mission en Chine aurait sauvé la vie d'un mandarin et reçu en échange la recette de ce thé parfumé pour en faire cadeau au Premier ministre de l'époque, le comte Grey (Earl Grey, Premier ministre de 1830 à 1834). Une autre légende veut que le comte lui-même ait sauvé le mandarin et reçu la recette. D'autres assurent encore que ce thé fut offert en remerciement d'une mission réussie. Il convient toutefois de rester circonspect :

*Les parfums les plus répandus pour les thés parfumés sont l'orange, le citron, la mangue, la menthe, le chrysanthème, la rose, la cerise, la framboise, la fraise et le gingembre.*

*Fleur de bergamote.*

en premier lieu, les Chinois n'ont jamais bu cette variété de thé parfumé ; en second lieu, les biographies du comte et les livres d'histoire couvrant les relations sino-britanniques entre 1830 et 1834 (période des hostilités dues à la guerre de l'Opium) ne mentionnent jamais un tel cadeau ; enfin, on dit que ce thé pouvait être composé de thé indien comme de thé chinois, mais à cette époque l'Inde ne produisait pas de thé.

Le nom et l'histoire ont peut-être été inventés par la personne qui fut à l'origine du mélange. De nos jours, c'est un thé extrêmement répandu. Plusieurs variétés sont proposées à la vente, qui utilisent du thé de Chine, du Darjeeling, du Ceylan et du thé fumé. La quantité de bergamote varie, ce qui a une influence non négligeable sur le goût final – s'il y en a trop, l'infusion a un goût de savon, s'il y en a trop peu, on a l'impression de boire du thé nature. Un mélange savamment équilibré donne une saveur rafraîchissante, légèrement citronnée, qui accompagne bien les gâteaux à la crème.

Le Yunnan Earl Grey (le roi des Earl Grey) est un thé de Chine noir originaire du Yunnan parfumé à la bergamote, à la saveur délicieusement équilibrée. Il est meilleur servi avec du lait et accompagne bien les plats de poisson, ou se déguste à l'heure du thé.

### Le thé English Breakfast

Parce qu'il est destiné à accompagner les aliments gras et frits, comme les œufs au bacon, les plats à la saveur prononcée comme le poisson fumé, le mélange English Breakfast contient habituellement des thés indien (Assam), de Ceylan et d'Afrique. D'aucuns soutiennent pourtant que le China Keemun est le thé idéal pour accompagner les toasts et la confiture.

### Le thé Irish Breakfast

Les Irlandais ont toujours apprécié le thé corsé et sombre. Ces mélanges contiennent des Assam riches et maltés, avec parfois des feuilles de thé africain ou indonésien.

### Les mélanges de l'après-midi

Ils sont généralement composés de thés plus légers, comme les Darjeeling, les thés de Chine ou de Formose et les thés de Ceylan, parfois additionnés d'une pointe de jasmin et de bergamote.

### Le thé goût russe

Pour recréer le goût préféré des Russes qui buvaient le thé de Chine transporté par des chameaux depuis la frontière russo-chinoise, ces mélanges sont composés de thés noirs ou Oolong de Chine ou de Formose, avec un soupçon de Lapsang Souchong ou de Tarry Souchong.

## Mélanges maison

Le thé étant une affaire de goût personnel, nombreux sont les amateurs qui concoctent leurs propres mélanges chez eux. Une petite quantité de thé de qualité supérieure ou quelques feuilles de thé aromatisé (tel que thé au jasmin ou Tarry Souchong)

transformeront un thé plutôt ordinaire. Pour obtenir un thé de petit déjeuner corsé, ajoutez une pincée d'Assam à du Ceylan ; pour un thé de brunch ou de milieu de journée, mettez un peu de Lapsang dans de l'Assam ; ou bien, pour un thé d'après-midi léger et rafraîchissant, ajoutez quelques feuilles de thé au jasmin à du thé de Chine noir. Les combinaisons sont innombrables.

*Création de mélanges spéciaux et insolites.*

# LES SACHETS DE THÉ

Les sachets furent inventés, dit-on, après qu'en 1908 un importateur de thé new-yorkais du nom de Thomas Sullivan eut envoyé des petits sachets de thé en soie à des acheteurs potentiels, en guise d'échantillons. La soie fut ultérieurement remplacée par de la gaze puis par du papier. En Grande-Bretagne, le marché des sachets de thé se développa dans les années soixante (5% du thé consommé était alors en sachets). En 1965, on atteignit les 7%, et en 1993 les sachets représentaient 85% de la consommation britannique. Dans le reste du monde, le thé en vrac reste le plus apprécié : 16% seulement du thé est mis en sachets.

Le papier utilisé pour faire les sachets est fabriqué avec des matériaux tels que l'abaca, la pulpe de bois et la rayonne. Les machines à ensacher actuelles peuvent produire quelque 2 000 sachets à la minute, de toutes formes – carrés, ronds, pyramidaux, simples ou doubles, scellés à chaud ou agrafés, étiquetés ou non.

## THÉ EN SACHETS OU THÉ EN VRAC ?

La qualité du thé contenu dans les sachets s'est nettement améliorée ces dernières années, mais le consommateur doit être averti de deux choses. Tout d'abord, le

*Stash Tea, une maison américaine, propose une gamme variée de thés en sachets et en vrac.*

mélange de thé ordinaire, conditionné à l'échelle industrielle et vendu dans les supermarchés, donne de l'avis des connaisseurs un thé fort quelconque.

Par ailleurs, certains producteurs ou experts dans l'art du mélange commercialisent des sachets d'excellents thés, en mousseline, souvent cousus à la main de manière traditionnelle, dans des grands magasins, des boutiques spécialisées ou des épiceries fines, par correspondance aussi. Ces maisons proposent du thé en sachets en sus du thé en vrac, car elles ont identifié une réelle demande, les amateurs reconnaissant le côté pratique des sachets.

# LE THÉ EN SACHETS :
## LE POUR ET LE CONTRE

### *Les avantages*

♦ commode pour préparer une tasse
de thé à la fois
♦ rapide à infuser
♦ manipulation aisée une fois que
le liquide est suffisamment infusé
♦ les feuilles ne risquent pas
de boucher les canalisations
♦ très utile pour préparer une grande
quantité de thé, à l'occasion
d'une réunion, par exemple

### *Les inconvénients*

♦ les sachets contiennent des feuilles
finement broyées qui donnent un thé
plus corsé, mais moins subtil et raffiné
que les thés à feuilles entières
♦ plus de tanin et infusion plus forte
♦ les sachets perdent leur arôme et
s'éventent plus rapidement que le thé
en vrac ; ce dernier peut se conserver
pendant 2 ans, alors que les sachets
sont périmés au bout de 4 à 6 mois.

Il faut néanmoins reconnaître que les sachets donnent une infusion de moins bonne qualité, c'est pourquoi il vaut mieux les reléguer au fond du placard à provisions et les utiliser un jour où vous manquez de temps. Ils sont les bienvenus lorsqu'il faut préparer du thé en grande quantité, mais on peut aussi utiliser du thé en vrac que l'on met dans une grande théière pourvue d'un infuseur.

# L'EAU DU THÉ

L'aspect et le goût d'une tasse de thé dépendent étroitement de l'eau qui a été utilisée pour faire l'infusion. L'écrivain chinois Lu Yu recommandait de prendre de l'eau de source de montagne, car elle lui semblait la meilleure. Aujourd'hui, la plupart des consommateurs se servent de l'eau du robinet, dont la qualité, la teneur en sels minéraux et autres composants comme le fluor et le chlore varient selon les régions. Certaines maisons créent des mélanges spéciaux destinés à telle ou telle région, afin de tirer le meilleur du thé.

Si le thé est préparé avec de l'eau très douce, ou bien au contraire de l'eau «dure» (contenant du sulfate de calcium), l'infusion est claire et savoureuse. Si l'eau est momentanément dure (forte teneur en carbonate de calcium), le thé risque d'être terne et fade, et si on le laisse reposer pendant un court laps de temps, une fine pellicule d'écume se forme sur le dessus. Celle-ci est due à l'oxydation des composants du thé, causée par la présence d'ions de calcium et de bicarbonate dans l'eau. Pour empêcher la formation de ce

film, évitez d'utiliser une telle eau ou filtrez-la au préalable avec un adoucisseur d'eau.

L'adjonction d'acide aide à éliminer les ions de bicarbonate. Ainsi, il n'y aura pas d'écume si on utilise un peu de citron. On obtient le même résultat avec le sucre, mais celui-ci dénature le goût du thé (son usage n'est d'ailleurs guère conseillé). En ajoutant du lait à de l'eau calcaire, la température de l'eau baisse et le processus d'oxydation qui crée la mousse se trouve ralenti. En revanche, des recherches récentes ont finalement démontré que le lait épaississait la pellicule d'écume en surface (le lait écrémé moins que le lait entier).

*La liqueur de thé doit être brillante et limpide.*

# LE THÉ AU LAIT

Il est impossible de savoir pourquoi et à quel moment les Britanniques ont commencé à mettre du lait dans leur thé. Cette coutume serait peut-être née à l'époque où l'on consommait plus de thé vert que de thé noir, le lait servant alors à masquer son amertume et à atténuer son goût astringent. Elle pourrait aussi résulter du contact entre les marchands et les Mongols ou les premiers Mandchous, qui mettaient du lait dans leur thé. Ou bien mettait-on un peu de lait au fond des bols à thé chinois du XVII<sup>e</sup> et du XVIII<sup>e</sup> siècle avant de verser le thé, pour éviter que la fine porcelaine ne se craquelle au contact de l'infusion brûlante? En 1660, Thomas Garraway affirme sur son encart publicitaire que «le thé préparé avec du lait et de l'eau fortifie les entrailles».

C'est ainsi que, dès l'incursion du thé en Grande-Bretagne, on pouvait se voir proposer du lait avec le thé, et qu'à partir de 1750 l'adjonction de lait dans le thé devint très en vogue. Pourtant, les Hollandais, qui entretenaient les mêmes relations avec les mêmes négociants, ne mirent jamais de lait dans leur thé. Un voyageur hollandais, Jean Nieuhoff, essaya le thé au lait lors d'un banquet offert par l'empereur de Chine à l'ambassadeur de Hollande en 1655, mais l'expérience ne porta pas ses fruits. Les Français ne montrèrent eux non plus aucune préférence pour le thé au lait – la marquise de La Sablière semble avoir été la seule à l'apprécier autour de 1680.

Dès la fin du XVII<sup>e</sup> siècle, la coutume du thé au lait s'était propagée dans toute la Grande-Bretagne. Elle s'exporta ensuite dans les colonies. Aujourd'hui, la plupart des mélanges créés pour le marché britannique sont destinés à être bus avec du lait. Les pays producteurs tiennent compte de cet usage lorsqu'ils manufacturent les thés pour l'exportation en Grande-Bretagne. Toutefois, l'adjonction de lait est avant tout affaire de goût personnel. Les consommateurs doivent être conscients du fait que le lait altère la saveur de certains thés, en particulier tous les thés blancs et verts, les Pouchong et les Oolong, la plupart des thés noirs de Chine (à l'exception de ceux du Yunnan), les Darjeeling *first flush* (récolte de printemps), les thés parfumés et les thés noirs plus légers.

Faut-il verser le lait dans la tasse avant ou après le thé? La tradition britannique veut que ce soit avant. Le lait versé après se mélange certainement mieux au thé. De l'avis des scientifiques, il vaut mieux verser le lait d'abord car il refroidit le thé et évite à la matière grasse du lait d'être ébouillantée par le thé brûlant et de lui donner un goût désagréable. D'autres personnes préfèrent ajouter leur lait après, prétendant qu'il est ainsi plus facile de doser les deux liquides. Il n'y a pas de règle absolue dans ce domaine, tout est encore une fois question de goût personnel.

# LE SUCRE DANS LE THÉ

La coutume de mettre du sucre dans le thé se répandit en Europe vers la fin du XVIIe siècle et recueillit plus d'audience en Grande-Bretagne que partout ailleurs. Elle n'est pas venue de Chine avec les premières caravanes de thés, car les Chinois buvaient rarement du thé sucré. Quelques régions de Chine seulement sacrifiaient à cette coutume, la plus connue étant celle des montagnes de Bohea, où l'on mélangeait du sucre jaune à l'infusion.

Dès la fin du XVIIIe siècle, la consommation de sucre était dix fois plus importante en Grande-Bretagne que dans les autres pays d'Europe. Les cuillères à thé, les plateaux à cuillères, les sucriers et les pinces à sucre vinrent se rajouter aux autres pièces des services à thé, et les premiers émigrants exportèrent la mode du sucre en Amérique du Nord.

Les spécialistes recommandent de boire le thé sans sucre car celui-ci a tendance à tuer le goût de la liqueur, mais en Grande-Bretagne nombreux sont les gens qui ajoutent une ou deux cuillerées de sucre dans leur tasse de thé.

# LA PRÉPARATION DU THÉ

Quand on verse de l'eau chaude sur du thé vert, ou de l'eau frémissante sur de l'Oolong ou du thé noir, les composants du thé (la théine, les polyphénols, et des composants volatils variés comme les huiles essentielles) sont diffusés dans l'eau selon un taux de concentration qui diminue progressivement avec le temps.

Pour faire ressortir pleinement le goût du thé, il est impératif que l'eau utilisée pour l'infusion contienne beaucoup d'oxygène. Les thés noirs et les Oolong demandent une eau qui a juste atteint son seuil d'ébullition, c'est-à-dire qui est à une température adéquate de 95 °C, mais qui a toujours son oxygène. Les thés blancs et verts préfèrent généralement une eau entre 70 et 95 °C. (Pour les conseils sur la température de l'eau, consultez le guide.)

Bien qu'il existe une liste de règles élémentaires pour réussir un thé parfait, elles nécessitent d'être adaptées au type de thé et à la vaisselle utilisée.

# LES RÈGLES D'OR

1  Utilisez du thé en vrac qui a été conservé dans de bonnes conditions et une théière appropriée. Remplissez la bouilloire d'eau froide et portez à ébullition.

2  Lorsque l'eau est frémissante, versez-en un peu dans la théière pour la chauffer, puis videz l'eau.

3  Mettez dans la théière (ou dans un infuseur à l'intérieur de celle-ci) 1 petite cuillerée de thé par tasse (cette quantité peut varier selon le type de thé et les goûts de chacun).

4  Versez l'eau frémissante sur les feuilles. Lorsque vous préparez du thé blanc ou vert, utilisez de l'eau chaude et non bouillante, à une température située entre 70 et 95 °C.

5 Couvrez la théière et laissez infuser pendant le nombre de minutes indiqué, selon le type de thé. Si vous utilisez un filtre, retirez-le de la théière dès que la liqueur vous paraît suffisamment corsée. Sinon, transvasez le thé dans une autre théière préalablement ébouillantée. Ceci permet de séparer les feuilles du liquide et empêche l'amertume de se développer. Pour ce qui concerne les doses de thé, la température de l'eau et les durées d'infusion, consultez le guide.

# PRÉPARER DU THÉ DANS UNE THÉIÈRE CLASSIQUE

Pour préparer du thé dans la plus pure tradition, suivez les règles d'or *(voir page 76)*.

Si vous choisissez du thé de bonne qualité, vous devez pouvoir faire une seconde théière en versant de l'eau frémissante sur les feuilles après avoir vidé la première théière. Lorsque le thé est corsé à souhait et que son goût vous convient, versez-le dans une tasse en porcelaine. Certaines personnes préchauffent leur tasse avec de l'eau frémissante qu'elles laissent reposer quelques minutes avant de la vider et de la remplir de thé brûlant. Si la liqueur infusée provient d'un thé en vrac disséminé dans la théière, utilisez une passoire pour retenir les feuilles quand vous versez le

*Porcelaine anglaise tendre, vers 1840.*

thé. Si votre théière est munie d'un infuseur, la passoire ne s'impose pas.

# PRÉPARER DU THÉ COMPRESSÉ

Cassez une quantité de thé à raison de 1 petite cuillerée de thé par personne. Placez le thé dans la théière préchauffée, dans une tasse à infuseur ou dans la tasse. Versez l'eau frémissante et laissez infuser 5 minutes environ. Passez le thé au-dessus d'une tasse ou d'un bol, ou bien retirez l'infuseur et servez.

# CHOISIR SA THÉIÈRE

Avec des thés de Chine verts ou noirs, une théière de Yixing est parfaite, car elle fera pleinement ressortir la saveur du thé. L'idéal est de posséder une théière pour chaque type de thé, car le dépôt qui en tapisse l'intérieur donnera un goût supplémentaire au thé.

L'étain, la fonte, l'argent et la terre cuite conviennent aux thés corsés, comme le Ceylan, le thé africain et l'Assam. La porcelaine dure et la porcelaine anglaise tendre sont idéales pour les thés plus légers comme les Darjeeling, les Oolong et les thés verts. La solution serait de posséder plusieurs théières, une pour le thé noir non fumé, une pour le thé fumé, une pour le thé parfumé et une pour le thé vert.

*Théière chinoise de Yixing en terre.*

# COMMENT NETTOYER UNE THÉIÈRE

Ne mettez jamais une théière au lave-vaisselle ou dans une bassine d'eau savonneuse. Videz-la de son thé, rincez-la à l'eau claire et faites-la égoutter en la retournant. Essuyez l'extérieur uniquement. Pour enlever le tanin d'une théière émaillée, en verre ou en argent, remplissez-la d'eau bouillante additionnée de 2 cuillerées à soupe de bicarbonate de soude et laissez reposer toute une nuit. Le matin, videz-la, rincez-la bien et faites-la sécher.

Si vous utilisez une théière de Yixing non émaillée, ne lavez jamais l'intérieur. Le dépôt est essentiel pour réussir un bon thé.

# LE THÉ DÉTHÉINÉ

Pour les gens qui craignent la théine, les thés déthéinés sont une solution idéale. Les améliorations apportées aux techniques de production depuis les années quatre-vingt ont permis une large commercialisation de ce genre de produit. Il existe trois méthodes pour déthéiner le thé; les scientifiques et les fabricants débattent encore pour savoir quelle est la meilleure pour la santé et d'un point de vue économique. Des recherches sont en cours, et les progrès continuels qui adviennent dans ce domaine permettent de fabriquer des produits de meilleure qualité.

**Le dioxyde de carbone** est un solvant organique, bon marché, facile à enlever du produit après traitement et sans danger s'il est utilisé en petites quantités.

**Le chlorure de méthylène** est le solvant le plus connu pour retirer la théine du thé et du café. Son prix est raisonnable et il est facile à enlever du produit après traitement. Le maximum autorisé dans le thé est de cinq parts pour un million. Les États-Unis ont interdit l'importation de produits traités au chlorure de méthylène.

**L'acétate d'éthyle :** son prix est raisonnable mais il s'enlève difficilement du produit après traitement. Quelques résidus d'acétate d'éthyle dans la liqueur attesteraient son efficacité.

*Thé Twinings déthéiné.*

# LE THÉ INSTANTANÉ

Le seul avantage du thé instantané ou soluble réside dans sa facilité de préparation. De même que les amateurs de café n'imaginent pas boire du café instantané, les véritables connaisseurs en matière de thé ne rêvent pas eux non plus de thé instantané. Le choix du service à thé et des ustensiles de même que la préparation de l'infusion proprement dite entrent dans le plaisir que procure le thé, et se contenter de prendre une cuillerée de granules pour préparer une tasse de thé instantané est dérisoire. Il est néanmoins intéressant d'expliquer comment est fabriqué le thé instantané, et comment on réussit à améliorer son goût et sa qualité.

On fait d'abord infuser les feuilles de thé pour en extraire les composants nécessaires à la préparation d'une tasse de thé. La feuille est jetée et le liquide déshydraté afin d'obtenir un extrait sec. On peut procéder selon trois méthodes : par évaporation de l'eau sous l'effet d'un courant d'air chaud, par lyophilisation (l'infusion est partiellement gelée et les particules glacées sont ensuite séparées), ou en filtrant l'infusion afin de retenir les solides du thé.

Les solides sont ensuite séchés soit à l'air chaud, soit par le froid, puis on les conditionne dans des emballages résistant à l'humidité – habituellement dans des bocaux – afin de protéger le produit fini pendant le voyage.

# LES THÉS PRÊTS À CONSOMMER

En 1992, l'industrie américaine du thé a lancé sur le marché ses premiers thés prêts à consommer. Les grandes maisons de thé se sont associées aux fabricants de boissons non alcoolisées pour créer toute une gamme de boissons à base de thé, gazeuses ou non, parfumées (au citron, à la framboise ou à la pêche) ou nature, sucrées ou non, en bouteilles ou en canettes. On en trouve maintenant dans les supermarchés et les épiceries, partout aux États-Unis et en Europe. Certaines ont vraiment la saveur du thé, d'autres (en particulier les variétés gazeuses) n'ont que le goût du sucre et du citron, et ressemblent très peu à la boisson connue et appréciée des amateurs de thé.

Aux États-Unis, pays où le thé glacé a fait de nombreux adeptes, ces boissons nouvelles séduisent particulièrement les jeunes.

Au Japon, des appareils distributeurs installés dans la rue et les supermarchés proposent une gamme encore plus large de thé prêt à consommer en canettes – froid ou chaud, vert ou noir, avec ou sans lait, parfumé aux fruits ou nature, sucré ou non, Darjeeling ou Assam. Les fabricants japonais ont apparemment réussi à créer des produits de grande qualité qui séduisent un vaste marché.

# LE THÉ GLACÉ

Le thé glacé est née à l'Exposition universelle de Saint Louis en 1904. Une grande partie du thé consommé aux États-Unis à cette époque était du thé vert de Chine. Dans l'intention de promouvoir les thés noirs d'Inde, un groupe de producteurs de thé indiens installa un pavillon de thé tenu par des Indiens qui offraient aux visiteurs des tasses de thé chaud, sous la supervision d'un Anglais du nom de Richard Blechynden. On battit des records de chaleur cette année-là, et, bien que les Britanniques aient toujours vanté les vertus désaltérantes du thé chaud, les Américains délaissèrent l'infusion brûlante. Désireux de vendre son produit, Blechynden remplit les verres de glaçons et versa le thé par-dessus. L'assistance se bouscula pour acheter cette boisson rafraîchissante.

En 1992, les États-Unis consommaient entre 1,6 et 1,8 milliard de verres de thé glacé par an. Plus de 80 % du thé servi dans le pays contient de la glace et près de 80 % des foyers américains boivent du thé glacé. Celui-ci n'a jamais eu beaucoup de succès en Europe, où il ne s'en consomme qu'une petite quantité les jours de canicule, additionnée de citron et de menthe ou de bourrache.

Pour préparer du thé glacé, prenez un thé de Ceylan ou un Keemun de Chine. Doublez la dose habituelle de thé et faites-le infuser dans une théière. Passez-le et ajoutez du sucre pour adoucir le goût. Remplissez un verre de glaçons et versez le thé chaud par-dessus. Ajoutez quelques feuilles de menthe ou des fleurs de bourrache ainsi qu'une rondelle de citron ou d'orange et servez.

Vous pouvez aussi faire infuser la double dose de thé, passer l'infusion, la sucrer et la faire refroidir au réfrigérateur pendant plusieurs heures, puis la servir avec de la glace.

---

## THÉ GLACÉ À LA MENTHE

### Pour 4 personnes

4 brins de menthe fraîche
jus de 2 oranges et de 4 citrons
4 tasses du thé de Ceylan corsé, fraîchement infusé
1 petit morceau de gingembre frais, découpé en lamelles
2 tasses d'eau froide
sucre à volonté

Écrasez la menthe et mettez-la dans une carafe en verre. Versez les jus de fruits et le thé préalablement filtré. Ajoutez le gingembre, le sucre et l'eau froide. Filtrez et réfrigérez au moins une heure, puis servez avec beaucoup de glace ; garnissez avec des feuilles de menthe et une rondelle d'orange.

---

*Thé glacé garni de brins de menthe.*

# LE THÉ ET SES METS

Le thé est un breuvage gastronomique qui s'associe avec bonheur à toutes sortes d'aliments.
À l'image des vins qui sont choisis pour rehausser la saveur de certains plats, le thé peut aussi
se marier avec des mets salés ou sucrés. Il convient de sélectionner les différentes variétés
de thé avec une attention particulière pour créer un harmonieux mélange de saveurs.
Vous trouverez ci-après un guide qui vous aidera à faire votre choix de thés en fonction
de vos menus ou des mets que vous souhaitez servir en accompagnement.

*Le saumon fumé se marie parfaitement avec le Darjeeling ou le Lapsang Souchong.*

| Types de mets | Thés appropriés |
|---|---|
| **Petit déjeuner continental**<br>(pain, fromage, confiture, etc.) | Yunnan, Ceylan, Indonésien, Assam, Dooars, Terai, Travancore, Nilgiri, Kenya, Darjeeling |
| **Petit déjeuner anglais**<br>(aliments frits, œufs, poisson fumé, jambon, bacon, etc.) | Ceylan, Kenya, mélanges africains, Assam, Tarry Souchong, Lapsang Souchong |
| **Mets salés légers** | Yunnan, Lapsang Souchong, Ceylan, Darjeeling, Assam, thés verts, Oolong |
| **Mets épicés** | Keemun, Ceylan, Oolong, Darjeeling, thés verts, Jasmin, Lapsang Souchong |
| **Fromages forts** | Lapsang Souchong, Earl Grey, thés verts |
| **Poissons** | Oolong, thés fumés, Earl Grey, Darjeeling, thés verts |
| **Viandes et gibier** | Earl Grey, Lapsang Souchong, Kenya, Jasmin |
| **À l'heure du thé** | Tous les thés |
| **Après le repas** | Thés blancs et verts, Keemun, Oolong, Darjeeling |

# ORGANISER UNE « TEA-PARTY »

L E THÉ de l'après-midi ou *afternoon tea* est une occasion rêvée pour bavarder tout à loisir dans un cadre élégant et raffiné, mais sans pesante cérémonie. C'est un moment de la journée idéal pour deviser entre amis ou rencontrer de nouveaux voisins, pour signifier son hospitalité et renforcer des liens d'amitié. Une réunion toute simple autour d'une théière et d'un morceau de gâteau, ou plus élaborée avec des mets salés et sucrés servis en accompagnement. En hiver, installez-vous au salon. En été, élisez domicile au jardin, en vous servant d'une table roulante pour transporter le matériel.

Faites vos invitations par téléphone, ou envoyez un carton dans les jours qui précèdent. Le jour dit, préparez le plus de choses possible à l'avance.

Remplissez la théière avec de l'eau froide mais ne la portez pas à ébullition avant que tout le monde soit prêt. Choisissez la théière, le pot à eau chaude et le couvre-théière. Sélectionnez le thé que vous allez servir et tenez la boîte à portée de main. Préparez une passoire, si besoin est, ainsi qu'une soucoupe pour les déchets. Mettez le sucre en poudre ou en morceaux dans un sucrier avec une cuillère ou des pinces, versez le lait dans un pichet et disposez des rondelles de citron sur une assiette.

Couvrez les plats que vous allez servir en accompagnement et mettez-les au réfrigérateur ou dans un endroit frais. Si vous proposez des scones ou des brioches, prévoyez du beurre, de la confiture ou de la crème fraîche épaisse. Pensez à servir un assortiment de petits sandwiches, de muffins, de gâteaux, de pâtisseries et de petits sablés. Pour prendre le thé au salon, couvrez la desserte d'une nappe en lin ou en fine dentelle, ou placez un joli napperon sur une table roulante. Si vous vous installez dans le jardin, préparez une table et des chaises, choisissez une belle nappe. Dressez le couvert avec, pour chaque invité, les articles de vaisselle suivants :

- ◆ une tasse et une soucoupe
- ◆ une petite cuillère
- ◆ une petite assiette
- ◆ un couteau ou une fourchette à dessert, selon le cas
- ◆ une serviette en lin

Lorsque vos hôtes arrivent, faites-les entrer et invitez-les à s'asseoir. Assurez-vous qu'ils sont confortablement installés, puis allez à la cuisine mettre la bouilloire en marche. Pendant que l'eau chauffe, emmenez au salon ou au jardin les plats de victuailles et tout ce dont vous avez besoin. Préparez le thé.

Si vous êtes au salon, prévoyez une petite desserte pour chacun, qui pourra ainsi poser son assiette, sa tasse et sa soucoupe. Faites passer à chacun une petite assiette, une serviette, un petit

couteau ou une fourchette à dessert. Demandez-leur s'ils préfèrent le thé nature, ou avec du lait ou du citron ; versez d'abord le lait. Servez une tasse de thé à chacun, et proposez du sucre.

Présentez les mets d'accompagnement, les sandwiches d'abord (si vous en avez prévu). Offrez ensuite les mets sucrés, comme les scones ou les gâteaux.

Proposez plus de thé ou servez-le à la demande – jetez le thé qui reste dans les tasses avant de les remplir à nouveau. Préparez une nouvelle théière si nécessaire.

# LE THÉ ET LA SANTÉ

Depuis sa découverte, on a prêté au thé d'innombrables vertus médicinales. Les recherches actuelles témoignent d'ailleurs de la véracité d'affirmations énoncées depuis des siècles. Son atout majeur est d'être un produit complètement naturel, ne contenant aucun colorant, conservateur ou arôme artificiels. C'est aussi une boisson sans calories si on la prend sans lait ni sucre, qui peut jouer un rôle de régulateur physiologique.

Le thé est naturellement riche en fluor, qui renforce l'émail des dents et retarde la formation de plaques dentaires en éliminant les bactéries. Il prévient aussi les maladies de la gencive et les caries.

Des recherches menées sur les animaux suggèrent que la consommation de thé vert ou noir peut réduire les risques de cancer – en particulier cancer de la peau, du poumon et du côlon. On pense que les composants du thé noir peuvent avoir un effet antioxydant et empêcher ainsi la formation de substances cancéreuses dans les cellules du corps humain.

Plusieurs programmes de recherche menés ces dernières années attestent les actions bénéfiques du thé sur les affections cardiaques, infarctus et thromboses. La théine du thé agirait sur le cœur et le système cardio-vasculaire comme un léger stimulant, et

*Affiche destinée à promouvoir le thé vert japonais.*

contribuerait ainsi à assouplir la paroi des vaisseaux sanguins, à éviter l'artériosclérose (le durcissement des artères). On pense également que les polyphénols du thé peuvent empêcher l'absorption de cholestérol par le sang et la formation de caillots.

La théine du thé stimule l'esprit en augmentant sa capacité de concentration et sa vivacité, et en permettant une perception plus fine des sensations, celle du goût et de l'odorat en particulier. Elle a aussi une action reconnue sur les sécrétions digestives et sur le métabolisme en général, y compris les reins et le foie, en contribuant à l'élimination des toxines et d'autres substances indésirables.

# LE THÉ À TRAVERS LE MONDE

## EN CHINE

Bien que la Chine produise de grandes quantités de thé noir pour l'exportation, les thés les plus répandus dans le pays sont le thé vert et le thé semi-fermenté. Le service à thé comprend une petite théière (au mieux en terre de Yixing) et de minuscules tasses dépourvues d'anse. Pour une seule personne, la tradition veut qu'on fasse infuser les feuilles dans un *guywan* (une tasse munie d'un couvercle).

À la maison, on offre toujours du thé aux visiteurs, et dans les restaurants la théière est le premier article de vaisselle que l'on pose sur la table et le dernier à être desservi. Sur les lieux de travail, on trouve des bouilloires d'eau frémissante à chaque étage d'une usine ou d'un immeuble de bureaux et, sur chaque bureau, des sachets prêts à infuser. Afin de se rafraîchir pendant la journée, les travailleurs agricoles emportent des gourdes remplies de thé. La plupart des maisons de thé traditionnelles ont fermé leurs portes dans les années vingt et trente. Pendant la révolution culturelle, il fut même décrété que le fait de prendre le thé était une «activité de loisir improductive». Aujourd'hui, les plus célèbres de ces établissements ont été restaurés et ont reconquis une grande partie de leur clientèle avec le succès d'antan.

*La Maison de thé à Shanghai.*

*Préparatifs pour la cérémonie du thé japonaise.*

## AU JAPON

Au Japon, où le thé préféré entre tous est toujours le thé vert (en particulier le matin et en digestif après le repas), des milliers d'hommes et de femmes fréquentent les nombreuses écoles de thé pour s'initier aux secrets de la cérémonie du thé. Cependant, les goûts évoluent : de nombreux Japonais consomment maintenant du thé noir avec du lait dans la plus pure tradition britannique. Des salons de thé à l'occidentale se sont ouverts dans les hôtels et les centres commerciaux des grandes villes, et toute une gamme de boissons chaudes et froides à base de thé additionné de fruits, de jus de fruits, de crème, d'épices ou de lait chaud est apparue. Les maîtres de thé organisent des séminaires et des cours pour enseigner aux buveurs de thé intéressés l'art de préparer le thé noir et de le servir à la mode anglaise, accompagné de mets spécialement réservés à cet usage.

## AU TIBET

Au Tibet, le thé est considéré comme une offrande, et préparé chaque jour avec un soin extrême. Pour faire le thé salé, le thé vert en brique est pilé dans un mortier, puis bouilli pendant quelques minutes dans un récipient plein d'eau. La décoction est ensuite filtrée et versée dans une baratte où l'on ajoute du sel et du lait de chèvre ou du beurre de yack. Cette boisson est désignée sous le nom de *tsampa*. Le thé est versé dans une bouilloire que l'on garde au chaud sur le feu, puis servi traditionnellement avec des galettes d'orge ou de blé.

## EN INDE

Le thé est la boisson favorite de l'Inde, où on le sert parfois à l'anglaise ou bien bouilli avec de l'eau, du lait et des épices. Dans la rue, les échoppes vendent du thé très corsé avec beaucoup de sucre et du lait. Dans les trains, on garde le thé au chaud dans de grandes bouilloires et on le boit dans des tasses en terre que l'on jette après usage.

## EN TURQUIE

Malgré la croyance populaire, le thé est beaucoup plus apprécié que le café en Turquie, où il se prépare en cuisine, à l'abri des regards. L'infusion sombre et corsée est filtrée, puis versée dans des petits verres. Elle est servie tout au long de la journée aux clients qui viennent traiter des affaires, à la maison, dans les restaurants… Dans certaines maisons, la théière est constamment sur le feu (on ajoute seulement de l'eau chaude au moment de servir).

## EN IRAN ET EN AFGHANISTAN

Dans ces deux pays, le thé est la boisson nationale. On boit du thé vert pour se désaltérer et du thé noir pour se réchauffer, tous les deux avec beaucoup de sucre. Chez soi ou dans les maisons de thé, les buveurs s'assoient en tailleur sur des matelas posés à même le sol et sirotent leur thé dans des pots en porcelaine de couleur vive.

## EN RUSSIE

Les Russes connurent le thé au XVIIe siècle, mais le breuvage devint en vogue au début du XIXe siècle. On consomme aussi bien du thé vert que du thé noir, sans adjonction de lait, dans des verres munis d'une anse en métal. Juste avant de prendre une gorgée de thé, on laisse fondre dans sa bouche un morceau de sucre ou une cuillerée de confiture. Le samovar, qui s'inspirait vraisemblablement d'un pot

*Samovar russe.*

à feu utilisé par les Mongols, est devenu très prisé vers 1730. Il est encore aujourd'hui une pièce maîtresse du foyer russe. Le récipient en métal du samovar repose sur un foyer de braises surmonté d'un tuyau qui traverse le récipient pour chauffer son eau. On prépare du thé très corsé dans la petite théière située au-dessus. Il sera ensuite dilué avec de l'eau chaude tirée d'un robinet installé sur le côté du samovar. Le samovar garde le thé chaud pendant des heures à la disposition des membres de la famille ou des hôtes.

## EN ÉGYPTE

Les Égyptiens, grands buveurs de thé, l'aiment doux et corsé, sans lait. Dans les cafés, on le sert dans des verres disposés sur un plateau, accompagné d'un verre d'eau, de sucre, d'une cuillère et parfois de feuilles de menthe.

## AU MAROC

Le thé est servi dans des verres, sur des plateaux en argent. Dans les maisons marocaines, c'est à l'homme qu'il incombe de servir le thé. Pour le verser, il lève la théière très haut au-dessus des verres, de façon à former une fine couche d'écume en surface.

*Service du thé au Maroc.*

## EN NOUVELLE-ZÉLANDE ET EN AUSTRALIE

Dans ces deux pays, le thé est servi à la maison et dans les restaurants à la mode anglaise. Mais, dans le Bush australien, les hommes font leur thé à même le feu dans une gamelle *(billycan)*. Comme en Grande-Bretagne et dans d'autres pays d'Europe, le café et les boissons non alcoolisées ont peu à peu supplanté le thé, dont la consommation est en baisse. En Australie, les importations de thé, qui s'élevaient à plus de 40 000 t par an en 1967, ne dépassent plus guère les 23 000 t.

## AU ROYAUME-UNI

Le thé est encore et toujours la boisson préférée des Britanniques, malgré la concurrence des boissons non alcoolisées et du café. Toutefois, la consommation est en légère baisse. Il se boit en moyenne 3,3 tasses de thé par jour et par habitant (contre 3,8 en 1984). Certaines personnes commencent leur journée avec au moins une tasse de thé et boivent aussi du thé sur leur lieu de travail, pendant les pauses le matin et l'après-midi, et parfois au déjeuner; le thé de l'après-midi *(afternoon tea)* est une tradition encore très ancrée dans la vie quotidienne britannique. Peu de gens boivent du thé le soir : le Comité du thé du Royaume-Uni a récemment lancé une campagne promotionnelle pour inciter les restaurants à proposer du thé en fin de repas au lieu du café.

Depuis le début des années quatre-vingt, il y a un regain d'intérêt pour l'heure du thé de l'après-midi. Les boutiques, les salons de thé en ville et ceux des hôtels regorgent de clients. Les Britanniques comme les étrangers apprécient avec bonheur l'élégance et le style de ce rituel.

Pourtant, dans beaucoup de foyers, on prépare le thé en faisant infuser des sachets et, pour un connaisseur, la boisson obtenue paraîtra presque fade. Il reste tout de même en Grande-Bretagne des gens qui savent faire de l'excellent thé et ont une bonne connaissance des nombreuses variétés de thés de qualité disponibles sur le marché. Les boutiques spécialisées proposent un large éventail de thés de diverses origines et de mélanges ou *blends*, ainsi qu'un choix de vaisselle et de coffrets cadeaux. La boutique Twinings (au numéro 216 sur le Strand,

à Londres), qui date de 1706, continue à étonner ses visiteurs par son choix de thés, de vaisselle et de livres, et par les portraits des ancêtres de la famille Twinings qui ornent ses murs.

Nombreux sont les Britanniques qui font appel au thé pour se détendre et passer un agréable moment : un problème à résoudre, une amitié à sceller, une journée de travail trop longue ou trop difficile, un froid trop vif en hiver, une chaleur exténuante en été, autant de situations qui se prêtent à la dégustation d'une tasse de thé !

## AUX ÉTATS-UNIS

Même si les États-Unis passent pour être un pays de buveurs de café, le thé y fit une remarquable percée il y a une dizaine d'années, qui coïncida avec un soudain regain d'intérêt pour le Royaume-Uni de la part des

*Sélection de produits de la compagnie américaine Grace Rare Teas.*

*Le salon de thé en rotonde de l'hôtel Pierre à New York, à l'angle de la Ve Avenue et de la 61e Rue.*

Américains. Parmi les raisons, on peut invoquer une plus grande préoccupation en matière de santé et une fascination empreinte de nostalgie pour tout le rituel qui entoure le thé. Aujourd'hui, plus de 125 millions d'Américains boivent du thé à un rythme quotidien, sous une forme ou une autre – thé noir brûlant, thé glacé, thé tout prêt en bouteilles ou en canettes.

Le marché des thés de qualité est en pleine expansion, et de nouveaux salons de thé ouvrent leurs portes. Les experts en thé présentent de nouveaux produits, font des démonstrations, et créent des événements promotionnels pour montrer à leurs clients comment bien consommer le thé. Les sociétés de vente par correspondance proposent de plus en plus de thés rares, soigneusement sélectionnés, ainsi que de la vaisselle (théières de Yixing par exemple, services à thé japonais, *guywans*…), mais aussi toutes sortes de mets à servir en accompagnement.

# LES THÉS

## DU

# MONDE ENTIER

LES PAYS
PRODUCTEURS
DE THÉ

AÇORES

CAMEROU

ÉQUATEUR

RWAND

BURUNDI

BRÉSIL

ZIMBABWE

PÉROU

ARGENTINE

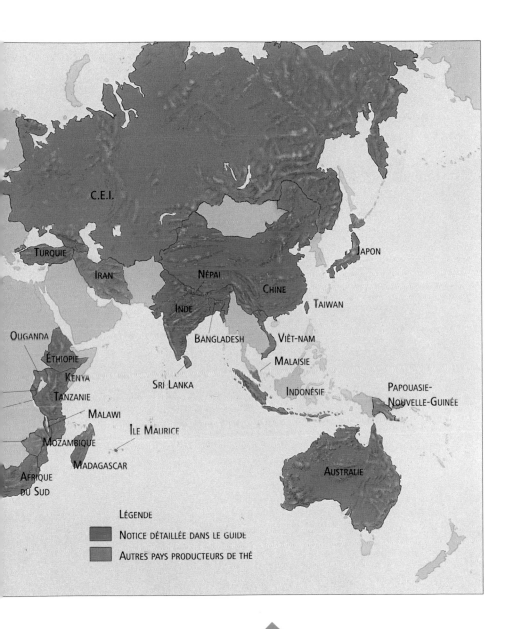

# LE GUIDE DES THÉS DU MONDE

## L'AFRIQUE

### CAMEROUN

Trois plantations produisent trois thés très différents – *clonal*, *high-grown* et *low-grown* – tous de très bonne qualité.

### KENYA

Les thés CTC* cultivés sont commercialisés sous l'appellation *Kenyan blends* («mélanges du Kenya»), ou pour être mélangés à des thés provenant d'autres pays. Ils donnent une infusion sombre à la saveur pleine et à l'arôme riche.

### MALAWI

Des thés CTC* vendus pour les mélanges. Une amélioration de la qualité est apparue après la multiplication des plants par clonage, mais la sécheresse de ces dernières années a durement affecté la région.

### AFRIQUE DU SUD

Produit des thés noirs, dont la plupart sont consommés sur place, excepté le thé Zoulou, unique thé sud-africain actuellement commercialisé à l'étranger, qui devient très prisé en Europe et aux États-Unis.

### TANZANIE

Produit des thés CTC* et orthodoxes*, semblables aux thés de Ceylan bien que la qualité varie selon l'altitude et les types de cueillette. La sécheresse et le manque aigu de main-d'œuvre ont récemment affecté la qualité des thés.

## LE SOUS-CONTINENT INDIEN

### INDE

#### Assam

Dans cette région, on cultive des thés orthodoxes* au goût malté, plein et riche, qui donnent une infusion colorée et forte.

#### Darjeeling

Des thés de différentes saisons aux goûts très distincts : *first flush* aux feuilles verdâtres, qui donne un thé astringent et parfumé ; *second flush*, qui donne un thé au goût plus doux et plus rond ; *in-between*, qui combine l'astringence du thé de première récolte au goût plus mûr de la seconde ; automnal, qui donne un thé au goût rond.

#### Dooars

Région à l'ouest de l'Assam qui produit des thés *low-grown*, pleins et forts.

#### Nilgiri

Les thés cultivés sur les hauts plateaux *(Nilgiri Hills)* de l'Inde méridionale donnent une liqueur goûteuse et vive, à la saveur douce.

#### Sikkim

Ce petit État indien produit des thés de type Darjeeling, mais plus pleins, forts et goûteux.

#### Terai

Cette petite région au sud de Darjeeling produit des thés qui donnent une infusion riche et colorée, au goût épicé.

#### Travancore

Cette région méridionale produit des thés possédant les mêmes caractéristiques que les thés de Ceylan, pleins, forts et colorés.

#### SRI LANKA

Six régions produisent des thés différents. Les thés *high-grown* donnent des liqueurs dorées, légères et de grande qualité ; les thés *middle-grown* donnent des liqueurs riches, rouges et cuivreuses ; les thés *low-grown* donnent des infusions sombres et fortes ; ils sont généralement utilisés dans les mélanges. Nuwara Eliya, la région la plus élevée, donne les thés de Ceylan les plus raffinés.

# L'EXTRÊME-ORIENT

## CHINE

Dix-sept provinces produisent la plus grande gamme de thés au monde : du thé blanc d'excellente qualité, des thés verts, Oolong, Pouchong, du thé noir compressé et du thé parfumé, dont la plupart sont encore traités à la main.

## INDONÉSIE

La plupart sont vendus pour les mélanges. Ils donnent une infusion brillante et légère, presque suave, qui rappelle les thés de Ceylan *high-grown*.

## JAPON

Produit uniquement des thés verts. Les Gyokuro, Sencha et Hojicha sont des thés à fines feuilles pointues que l'on fait infuser dans l'eau, le Tencha est coupé en petits morceaux, le Matcha est une poudre de thé que l'on bat avec de l'eau pour obtenir une liqueur mousseuse.

## TAIWAN

Produit des thés orthodoxes*, verts, Oolong et noirs. Les Oolong sont la spécialité de Taiwan, un peu plus fermentés que les Oolong de Chine, et donc plus sombres et légèrement plus forts. Taiwan produit également des Pouchong légèrement fermentés.

# LES AUTRES PAYS PRODUCTEURS

## AMÉRIQUE DU SUD
### ARGENTINE
Thé noir utilisé pour les mélanges en Chine et aux États-Unis.

### BRÉSIL
Thés noirs qui donnent une infusion brillante. Pour la plupart utilisés dans les mélanges.

### ÉQUATEUR
Produit des thés noirs, généralement exportés aux États-Unis.

### PÉROU
Thés noirs cultivés dans deux plantations.

## AFRIQUE
### BURUNDI
Thés noirs CTC*.

### ÉTHIOPIE
Thés de bonne qualité produits dans deux manufactures.

### MADAGASCAR
Thés *clonal* de qualité intéressante.

### ÎLE MAURICE
Thés noirs orthodoxes*.

### MOZAMBIQUE
Thés noirs forts et épicés.

### OUGANDA
Thés noirs, utilisés dans les mélanges.

### RWANDA
Thés noirs CTC* de bonne qualité, mais une production sur laquelle on ne peut pas compter à cause de l'instabilité politique.

### ZIMBABWE
Thés noirs qui donnent une liqueur sombre et forte comparable à celle des thés du Malawi.

## EUROPE
### AÇORES
Thés noirs cultivés sur des plantations remises en état.

## ASIE
### BANGLADESH
Produit des thés noirs, pour la plupart utilisés dans les mélanges.

## C.E.I.
Thés CTC* et orthodoxes*.

### IRAN
Des petits propriétaires y produisent des thés noirs au goût léger.

### MALAISIE
Thés de qualité médiocre, vendus principalement aux touristes.

### NÉPAL
Thé noir de type Darjeeling.

### TURQUIE
Thés noirs, en grande partie consommés dans le pays.

### VIÊT-NAM
Thés noirs CTC* et thés verts.

## OCÉANIE
### AUSTRALIE
Thés noirs pour le marché intérieur.

### PAPOUASIE-NOUVELLE-GUINÉE
Thé noir donnant une liqueur sombre, au goût fort.

---

* *clonal* : thé obtenu après multiplication des plants par clonage ;
*high-grown* : thé cultivé à haute altitude ;
*low-grown* : thé cultivé à basse altitude ;
*middle-grown* : thé cultivé à moyenne altitude.

* CTC (broyage, déchiquetage, bouclage) : procédé moderne utilisé pour briser les cellules des feuilles de thé ; les thés CTC se présentent sous la forme de fines particules régulières. S'oppose au procédé classique ou orthodoxe.

* orthodoxe : se dit d'un thé préparé selon la méthode industrielle classique.
* Darjeeling *first flush*, de première récolte, celle du printemps ; *second flush*, de deuxième récolte, celle de l'été ; *in-between*, récolte intermédiaire.

# COMMENT UTILISER CE GUIDE

CE GUIDE est divisé en quatre parties principales. Les trois premières parties présentent en détail onze pays producteurs de thé dans le monde. Ils ont été sélectionnés en priorité pour la quantité ou la qualité de leurs thés, ou bien parce qu'ils produisent des thés intéressants pour le connaisseur et promis à un certain avenir. La dernière partie passe en revue les autres pays producteurs de thé et, si possible, un jardin de thé particulier fait l'objet d'une recommandation.

Pour chaque pays des trois premières parties, des thés spécifiques sont cités : ce sont les meilleurs, ou ils sont représentatifs de l'excellence. Dans certaines régions, il y a tellement de thés excellents provenant de jardins différents qu'il est impossible d'en dresser une liste exhaustive.

En recommandant des thés provenant de jardins spécifiques, on ne peut donner que des caractéristiques générales, puisque chaque thé risque de varier d'une année sur l'autre en fonction du temps et du climat de la région concernée.

Les notices donnent pour chaque thé des conseils de préparation et de dégustation, qui ne sont que des remarques d'ordre général.

Les quantités de thé infusées et la durée de l'infusion peuvent varier selon le goût de chacun ; les mets d'accompagnement également.

Faites chauffer autant de tasses d'eau que vous souhaitez servir de tasses de thé. Il faut environ 1 petite cuillerée de thé en vrac pour chaque tasse de thé (cette quantité peut varier légèrement selon la taille des feuilles).

**Conseils de dégustation**
**Légende des symboles**

| Petit déjeuner | Matin | Après-midi | Toute la journée (du petit déjeuner jusqu'en début de soirée) | Digestif | Soir | À l'heure du coucher | Grandes occasions |

# L'Afrique

# CAMEROUN

*Des thés intéressants pour les connaisseurs
à la recherche d'un produit original.*

ENTRE 1884 ET 1914, les planteurs allemands pratiquèrent de nombreuses cultures dont celle du café, du palmier à huile, du tabac, des noix de kola et des bananes. Ils expérimentèrent aussi la culture du thé. Les premiers théiers furent plantés en 1914 à Tole, sur les pentes fertiles du mont Cameroun – le seul volcan actif de l'Afrique de l'Ouest, situé dans le sud-ouest du pays, surplombant la ville de Limbe sur la côte atlantique.

Tole, qui se situe à 600 m au-dessus du niveau de la mer, réunit toutes les conditions requises pour la culture du thé. La pluviosité est de 3 000 mm par an, les températures sont comprises entre 19 et 27 °C, et le taux d'humidité est élevé. Les plantations de thé s'étendent sur 27 ha.

LAC TCHAD

TCHAD

NIGERIA

LAC DE LAGDO

N'Gaoundéré

Djuttitsa · Ndu

LAC DE M'BAKAOU

mont Cameroun

Tole · Sanaga

Douala · ◆ YAOUNDÉ

*Manufacture de Tole, au pied du mont Cameroun*

Les plantations d'origine, qui connurent un développement dans les années quarante, contribuèrent à une hausse de la production. Cependant, l'exploitation fut interrompue en 1948 et ne redémarra qu'en 1952. En 1954, on décida d'agrandir Tole, qui s'étendit sur 280 ha, pour atteindre environ 320 ha en 1968. La production de thés noirs orthodoxes s'élevait alors à 685 t par an.

D'autres plantations furent exploitées à Ndu, dans la province du Nord-Ouest. Les nouvelles plantations furent installées en 1957 à 2 100 m d'altitude, en utilisant des graines provenant de Tole et d'Afrique de l'Est. En 1968, le Cameroun exploitait deux plantations de thé couvrant environ 730 ha de terres.

## Ndu

**Caractéristiques**
Thé noir orthodoxe *high-grown*, cultivé à 2 100 m. Liqueur brillante et colorée.

**Conseils de préparation**
1 petite cuillerée par tasse d'eau à 95 °C. Laissez infuser pendant 2 min.

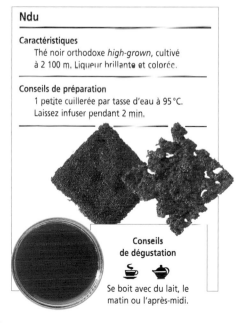

**Conseils de dégustation**

Se boit avec du lait, le matin ou l'après-midi.

## Djuttitsa Clonal

**Caractéristiques**
Thé clonal CTC *high-grown* de bonne qualité,
cultivé à 1 700 m d'altitude.
Liqueur brillante à la saveur agréable.

**Conseils de préparation**
1 petite cuillerée par tasse
d'eau à 95 °C.
Laissez
infuser
3 min.

**Conseils
de dégustation**

Se boit avec du lait,
le matin ou l'après-midi.

## Tole

**Caractéristiques**
Thé *low-grown* CTC intéressant. Liqueur
de couleur vive et de qualité moyenne.

**Conseils de préparation**
1 petite cuillerée par tasse d'eau à 95 °C.
Laissez infuser 3 min.

**Conseils
de dégustation**

Se boit à toute heure,
avec un nuage de lait.

Aujourd'hui, les plantations recouvrent une superficie totale de 1 560 ha, dont 590 sont plantés de théiers *clonal*. La cueillette s'étale sur toute l'année. Pendant la saison de pointe, quelque 2 300 hommes et femmes sont employés à la récolte du thé. La production annuelle de 4 050 t devrait atteindre 4 600 en l'an 2000.

Dans les années cinquante, tout le thé produit au Cameroun était vendu aux enchères à Londres. Avant 1965, plus de la moitié de la récolte a été exportée en Europe et au Nigeria, mais depuis 1966 une plus grande

quantité est vendue sur place. Aujourd'hui, les Républiques du Tchad et du Soudan sont les principaux clients du Cameroun. Néanmoins, la modernisation des manufactures, le développement et l'extension des plantations se poursuivent.

Le thé du Cameroun est extrêmement intéressant pour les connaisseurs qui recherchent un produit original. Les trois manufactures de ce petit pays produisent trois thés très différents. Les thés *low-grown* de Tole, les thés *high-grown* de Ndu et les thés *clonal* de Djuttitsa sont tous d'excellente qualité.

# KENYA

*Des thés de qualité cultivés dans les régions montagneuses du Kenya à la végétation luxuriante.*

**L**ES PREMIERS ARBUSTES furent plantés à Limuru en 1903. La production progressa lentement jusqu'à la fin des années cinquante. En 1950, le thé fut reconnu par l'État comme une denrée de première importance. Le Tea Board (Office du thé) du Kenya fut alors créé pour réglementer son industrie. Un autre organisme, la Kenya Tea Development Authority, fut fondé en 1964 avec pour objectif de promouvoir la culture du thé en petites exploitations dans les régions les plus adaptées. En 1964, on comptait un total de 19 700 petits producteurs de thé pour une superficie de 4 400 ha ; il y en a aujourd'hui 270 000 pour une superficie de 90 000 ha.

Dans les années soixante, il n'existait que la manufacture de Ragati à Nyeri, mais 43 autres ont été créées dans 13 districts producteurs de thé; la récolte totale annuelle varie entre 27 500 et 33 000 t de thé vert. Les thés noirs CTC sont des thés à pointes dorées *tippy teas* qui donnent une liqueur pleine et forte, à la fragrance presque suave. Un jardin, celui de Marinyn, produit un thé orthodoxe de haute qualité qui ressemble à un Assam orthodoxe.

Au Kenya, les principales plantations se trouvent dans les régions montagneuses, entre 1 500 et 2 700 m, où d'importantes précipitations contribuent à une production de qualité. Si le reste du Kenya est trop sec pour se prêter à l'agriculture, les montagnes bénéficient d'un air chaud et humide, venant du lac Victoria, qui donne des pluies à proximité des reliefs élevés. Les théiers produisent toute l'année, mais les meilleurs thés sont récoltés fin janvier-début février et au mois de juillet.

*Cueilleurs de thé en plein travail au Kenya.*

Les thés kenyans sont de haute qualité. En 1992, le pays était troisième producteur mondial, derrière la Chine et l'Inde, avec 207 000 t (7,8 % de la production mondiale). Cette année-là, les exportations s'élevèrent à 183 000 t, soit 16 % des exportations mondiales. En 1993, un record absolu de 232 000 t fut enregistré, dont 207 000 pour l'exportation. Ce sont des thés très cotés sur les marchés mondiaux. Les débouchés traditionnels sont les ventes aux enchères de Mombasa et de Londres, ainsi que les ventes directes à l'étranger et à des acheteurs du pays. Les principaux clients étrangers sont le Royaume-Uni, l'Irlande, l'Allemagne, le Canada, les Pays-Bas, le Pakistan, le Japon, l'Égypte et le Soudan.

## Marinyn

**Caractéristiques**
Magnifique thé orthodoxe à grandes feuilles provenant du plus célèbre jardin du Kenya. Donne une infusion riche et forte au goût plein et fruité.

**Conseils de préparation**
1 petite cuillerée par tasse d'eau à 95 °C.
Laissez infuser
2 à 3 min.

**Conseils de dégustation**
Thé d'après-midi.
Se boit avec du lait.

## Kenya Blend

**Caractéristiques**
Riche liqueur rouge doré au goût agréable.

**Conseils de préparation**
1 petite cuillerée par tasse d'eau à 95 °C.
Laissez infuser
2 à 3 min.

**Conseils de dégustation**
Thé de petit déjeuner ou d'après-midi. Se boit avec du lait. Excellent avec des gâteaux au chocolat.

# M A L A W I

*Une amélioration de la qualité a été obtenue grâce à un récent programme
de multiplication des plants par clonage.*

L E Malawi est le deuxième pays africain producteur de thé après le Kenya. Le premier thé
fut introduit en 1878 dans ce qui fut le Nyassaland, sous forme de graines provenant du
Jardin botanique d'Édimbourg en Écosse. À la fin du siècle, des plantations furent créées à
Lauderdale, Thornswood et Thyolo avec des graines
provenant du Natal (et initialement de Ceylan).

Les exportations de thé commencèrent en 1905, et, bien que la production n'ait pas été de très bonne qualité, l'industrie du thé prospéra ; au milieu des années cinquante, plus de 5 000 ha étaient déjà en exploitation. La plupart des théiers sont plantés à basse altitude – l'altitude moyenne dans le district de Mulanje est de 550 m. Les pluies, dont la fré-quence est imprévisible, ainsi que les tempé-ratures élevées ne sont pas idéales pour la culture du thé. En 1966, la Tea Research Foundation (Fondation de recherche sur le thé) fut créée, essentiellement à cause de l'environnement particulier dans lequel pousse le thé de cette région (Afrique centrale). En 1992, une terrible sécheresse et une

*Parcelle consacrée à la multiplication des plants au centre de recherche sur le thé de Mimosa.*

distribution des pluies très inégale, faisant suite à une faible pluviométrie en 1990 et en 1991, eurent une influence néfaste sur la récolte de thé. Même les meilleures années, les planteurs ne peuvent jamais se fier aux conditions météorologiques. Ils espèrent toujours que le temps sec n'affectera pas les arbres de façon irréversible, mais en 1992 les jeunes plants ne résistèrent pas à la sécheresse. La récolte fut médiocre et les théiers les plus anciens furent gravement endommagés. En 1994, la récolte, redevenue normale, s'éleva à 44 000 t.

## Namingomba

**Caractéristiques**
Thé *clonal* de bonne qualité. Liqueur brillante. Belle couleur, saveur pleine et forte.

**Conseils de préparation**
1 petite cuillerée par tasse d'eau à 95 °C. Laissez infuser 3 min.

**Conseils de dégustation**

✹

Se boit avec du lait à toute heure du jour, en particulier le matin.

## Kavuzi

**Caractéristiques**
Thé à petites feuilles LTP produit au nord du pays. Donne un thé fort et coloré.

**Conseils de préparation**
1 petite cuillerée par tasse d'eau chaude à 95 °C. Laissez infuser 3 min.

**Conseils de dégustation**

)❙❙

Un bon thé de petit déjeuner. Se boit avec du lait.

# AFRIQUE DU SUD

*Le thé Zoulou a trouvé une place de choix sur les marchés d'Europe et des États-Unis.*

L ES PREMIERS PLANTS de thé d'Afrique du Sud, provenant du Jardin botanique de Kew à Londres, furent plantés en 1850 au sud du fleuve Limpopo, dans le jardin botanique de Durban, au Natal. Lorsque la culture industrielle débuta en 1877, les graines provenaient de l'Assam. En 1881-1882, la production dépassa à peine un quart de tonne ; en 1884-1885, elle atteignit 28,5 t. En 1886, le Natal produisit 40 t – qui furent consommées sur place – et en 1889 il y avait environ une douzaine de plantations couvrant 440 ha.

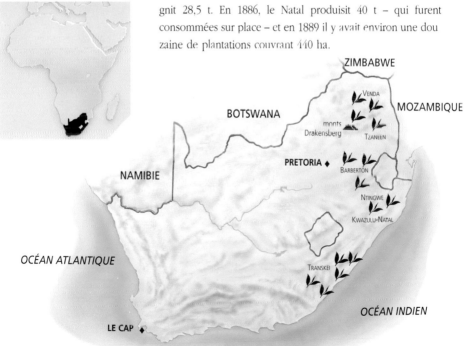

ZIMBABWE

VENDA

BOTSWANA

MOZAMBIQUE

monts
Drakensberg    TZANEEN

PRETORIA ◆
                 BARBERTON

NAMIBIE

NTINGWE

KWAZULU-NATAL

OCÉAN ATLANTIQUE

TRANSKEI

OCÉAN INDIEN

LE CAP ◆

113

*Emballage du thé dans une manufacture d'Afrique du Sud.*

Au début du xxe siècle, le Kwazulu-Natal se mit à la culture industrielle. En 1949, la production cessa à cause de la crise qui sévissait sur le marché mondial. Dans les années soixante fut créée la Sapekoe, une compagnie de production de thé. De nouvelles plantations virent le jour le long des monts Drakensberg (est du Transvaal), dans certaines parties du Natal et au Transkei. Depuis 1973, d'autres plantations se sont établies dans la région de Levubu, au Venda, et au cœur du pays zoulou, près de Ntingwe.

*Cueillette du thé.*

Les feuilles sont cueillies entre novembre et mars, pendant la courte saison des pluies, et traitées selon un procédé CTC modifié. Au début des années quatre-vingt-dix, la sécheresse eut un effet déplorable sur la production et la qualité. Toutefois, les théiers ont remarquablement bien récupéré et l'industrie du thé sud-africaine a retrouvé un certain optimisme dans le domaine de la production et de la consommation intérieure.

Les Sud-Africains boivent approximativement 10 milliards de tasses de thé par an, dont 60% de thé en sachets. Cette forte consommation intérieure explique que presque tout le thé sud-africain soit vendu sur place et ne participe jamais aux ventes aux enchères. En revanche, le thé Zoulou, provenant de la plantation de Ntingwe dans le Kwazulu-Natal, est actuellement exporté et recueille un grand succès dans le nord de l'Angleterre ainsi qu'en Europe et aux États-Unis.

L'Afrique du Sud est aussi célèbre pour le thé Rooibosch (Rositea) ou thé rouge, issu de *Aspalathus linoaris* et non de *Camellia sinensis*. La liqueur, qui d'aspect et de goût ressemble beaucoup au thé, se boit avec du lait. Elle commence à être appréciée en Europe et aux États-Unis. Sa popularité tient sûrement au fait qu'elle ne contient pas du tout de théine, et qu'elle est riche en vitamine C, en sels minéraux et en protéines.

## Thé Zoulou

**Caractéristiques**
Thé noir *clonal* qui donne une infusion vive et rafraîchissante.

**Conseils de préparation**
1 petite cuillerée par tasse d'eau à 95 °C. Laissez infuser 2 à 3 min.

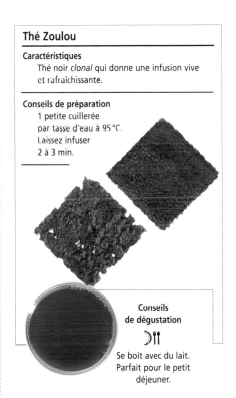

**Conseils de dégustation**
Se boit avec du lait. Parfait pour le petit déjeuner.

# TANZANIE

*La qualité du thé varie selon l'altitude et le type de cueillette.*

L ES COLONS ALLEMANDS furent les premiers à cultiver du thé en Tanzanie, aux environs de 1905, mais la production industrielle ne débuta pas avant 1926. Une manufacture ouvrit ses portes à Mufundi en 1930, et l'industrie du thé se développa à un rythme régulier dans les régions montagneuses du Sud et autour d'Usambara. Aujourd'hui, les principales régions productrices sont Rungwa, Mufindi, Njombe, Usambara et Kagera. La superficie cultivée avoisine les 20 000 ha, la moitié appartenant à des producteurs privés et le reste à des petits exploitants.

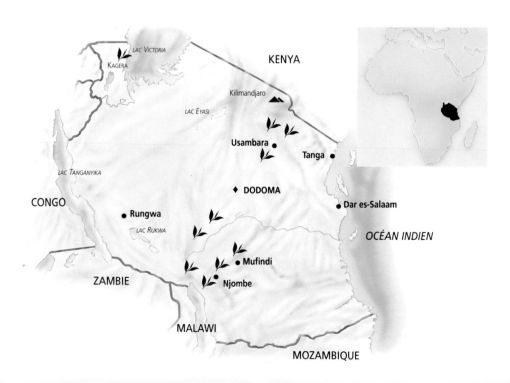

La production à petite échelle débuta en 1961. Elle représente aujourd'hui 30 % du thé vert récolté dans le pays. L'industrie du thé fonctionne à deux niveaux : les plantations privées cultivent et manufacturent leur propre thé ; la Tanzania Tea Authority (TTA) achète les feuilles aux petits propriétaires et les traite dans ses propres manufactures. Actuellement, le secteur privé possède 14 manufactures et la TTA cinq ; deux autres appartiennent à la TTA et au privé.

La production varie selon plusieurs facteurs : manque de moyens de transport pour acheminer les feuilles à la manufacture, manque de main-d'œuvre pour la cueillette en période de pointe, manque de carburant, vétusté des manufactures, sécheresse… Toutefois, la production a augmenté ces huit dernières années. Des investissements plus importants et des conditions de vente à l'exportation plus intéressantes ont élargi les perspectives.

Environ 70 % du thé de Tanzanie est exporté – les 30 % restants sont consommés sur place. La qualité du thé varie selon l'altitude et les types de cueillette. Certaines manufactures produisent du thé CTC de bonne qualité dans les grades BP1 (Broken Pekoe), PF (Pekoe Fannings) et PD (Pekoe Dust).

## Kilima

### Caractéristiques
Excellent thé noir cultivé entre 1 800 et 2 100 m. Ressemble au thé de Ceylan. Donne une infusion forte et fruitée.

### Conseils de préparation
1 petite cuillerée par tasse d'eau à 95 °C. Laissez infuser 2 à 3 min.

### Conseils de dégustation
Thé de petit déjeuner. Se boit avec du lait.

*Préparation des boutures pour la pépinière.*

# Le

## Sous-Continent

# Indien

# INDE

*Un des premiers pays producteurs de thé du monde, avec plus de 13 000 jardins.*

A LA FIN DU XVI<sup>e</sup> SIÈCLE, un explorateur hollandais qui avait doublé le cap de Bonne-Espérance pour se rendre à Goa, sur la côte ouest de l'Inde, parla de cette coutume qu'avaient les Indiens de boire du thé. Dans son livre *Les Voyages de Jan Huyghen Van Linschoten*, publié en 1598, il raconte que les Indiens utilisaient les feuilles du théier d'Assam comme légume et comme boisson.

PAKISTAN

DELHI

SIKKIM

ASSAM

Gange

Darjeeling

Dooars

Calcutta

Bombay

MER D'OMAN

GOLFE DU BENGALE

Madras

monts Nilgiri

SRI LANKA

En 1784, le botaniste britannique Joseph Banks déclara que le climat indien était favorable à la culture du thé, sans savoir qu'il y poussait déjà. En 1823, un major écossais du nom de Robert Bruce rencontra des Indiens buvant un thé d'une variété différente de la variété chinoise que l'on connaissait déjà. Avec son frère Charles, qui travaillait pour la Compagnie des Indes orientales, il s'arrangea pour faire cultiver quelques-uns de ces plants indigènes dans le jardin botanique de Calcutta.

Malgré la détermination de la Compagnie des Indes à croire que seuls les plants chinois pouvaient se prêter à une exploitation industrielle, en 1835, les frères Bruce réussirent à la convaincre du fait que *Camellia assamica* prospérerait là où *Camellia sinensis* ne pourrait s'adapter. Des plantations furent créées et la première livraison de huit coffres de thé d'Assam arriva à Londres en 1838. Cette nouvelle affaire ne fut pas rentable avant 1852. On pensa tout d'abord que ce serait l'occasion de donner du travail aux Indiens de la région, mais en fait les premières plantations utilisèrent de la main-d'œuvre importée de Chine.

L'Assam Tea Company, fondée en 1840, étendit rapidement ses activités dans d'autres régions du nord de l'Inde. La production augmenta régulièrement, et les exportations passèrent de 180 t par an en 1853 à 6 700 t en 1870. En 1885, la production atteignit 35 000 t

(dont 34 000 pour l'exportation). En 1947, lorsque l'Inde acquit son indépendance, la production s'élevait à 280 000 t.

Aujourd'hui, l'Inde est un des plus grands producteurs de thé du monde. Avec plus de 13 000 jardins et une main-d'œuvre forte de deux millions de personnes, l'Inde produit environ 30 % des thés noirs du monde et 65 % des thés CTC. Le passage du procédé orthodoxe au procédé CTC dans la majorité des manufactures indiennes fut motivé par l'expansion des marchés britannique et irlandais, ainsi que par la demande croissante, à partir des années cinquante, pour un thé fort et rapide à infuser, destiné à une présentation en sachets.

Les jardins indiens ont différentes méthodes de production selon les marchés. Certains se consacrent à la production de Fannings et de Dust CTC destinés à l'exportation. D'autres produisent principalement des thés *broken* (à feuilles brisées) et des Fannings pour le marché intérieur, d'autres encore manufacturent des thés orthodoxes à feuilles entières avec des *golden tips* (pointes dorées) pour un marché spécialisé.

En 1993, 585 000 t de thés CTC furent produites (contre 544 000 t en 1992), soit presque 83 % de la production totale. La fabrication des thés orthodoxes s'est légèrement ralentie ces dernières années. Le marché intérieur croît à un rythme régulier depuis un demi-siècle. En 1951, la

*Clones haut de gamme de thés Nilgiri*

*Cueillette à la cisaille dans une plantation de Nilgiri.*

demande intérieure était de 80 000 t seulement (environ 30 % de la production). En 1991, elle avait atteint 573 000 t (environ 75 % de la production). Les planteurs indiens ont toujours réussi à remplir leurs engagements à l'exportation et le Tea Board (Office du thé) indien, aidé des groupes de chercheurs qui lui sont affiliés dans les principales zones de culture du nord et du sud du pays, poursuit une stratégie à long terme d'augmentation de la production et de la productivité.

Un aspect de ce programme est de protéger la réputation des trois principaux thés indiens – Darjeeling, Assam et Nilgiri. La renommée mondiale de ces thés s'étant amplifiée au fil des ans, pour répondre à une demande internationale croissante, certains négociants proposèrent des thés étiquetés en tant que Purs Darjeeling, Purs Assam et Purs Nilgiri, qui étaient en réalité mélangés avec des thés provenant d'autres régions. Il s'avéra donc nécessaire de garantir la qualité de ces thés.

*Logotypes des thés d'origine.*

À cet effet, le Tea Board of India créa trois logotypes différents. Celui de Darjeeling montre une cueilleuse indienne de profil tenant une pousse de thé pourvue d'un bourgeon et de deux feuilles, le logo de l'Assam figure un rhinocéros, familier de la vallée du Brahmapoutre, et celui de Nilgiri représente les montagnes bleues de l'Inde du Sud. Ces symboles aident le consommateur à identifier ces trois thés et leur origine pure.

Le schéma des exportations indiennes s'est considérablement transformé depuis 1947. Cette année-là, le Royaume-Uni était le principal acheteur (140 000 t, soit 66 % des exportations), et de très petites quantités étaient achetées par l'Europe de l'Est et certains États arabes. Aujourd'hui, les principaux clients de l'Inde sont l'Iran, la Pologne, l'Égypte et l'ex-URSS, alors que les achats des Britanniques ne représentent plus que 15 % du chiffre total des exportations. Le Japon est un nouveau venu qui montre une préférence pour les Darjeeling, les thés orthodoxes à pointes dorées et les Nilgiri.

Bien que l'Inde produise essentiellement des thés noirs, elle manufacture aussi du thé vert en petite quantité dans la vallée de Kangra, près de Dehli, surtout pour l'Afghanistan. L'Inde possède aussi plusieurs plantations pratiquant la culture biologique, notamment Mullootor et Makaibari dans la région de Darjeeling.

# ASSAM

Aujourd'hui, le thé est cultivé sur les deux rives du Brahmapoutre, la plus grande région productrice de thé noir du monde. En 1993, un siècle et demi après l'arrivée des premières caisses de thé à Londres, la production des 2000 jardins d'Assam atteignit le chiffre record de 444000 t, soit 53% de la récolte du pays entier (838000 t).

La vallée du Brahmapoutre, située à moins de 200 km de Darjeeling, est limitrophe de la Chine, de la Birmanie et du Bangladesh. Les plantations sont arrosées abondamment (de 2000 à 3000 mm d'eau par an), mais le régime des pluies est irrégulier : il peut tomber de 250 à 300 mm par jour lors de la mousson. Pendant cette saison de fortes pluies, la température est de 35°C, et cette

atmosphère de serre, chaude et humide, produit des thés parmi les meilleurs du monde.

La récolte s'effectue surtout entre juin et septembre. Un millier de cueilleurs travaillent huit heures par jour dans les jardins, pour ramasser chacun 50000 pousses. Les conditions sont pénibles ; en plus de la chaleur intense, les serpents et les insectes rendent la vie insupportable. Les feuilles sont jetées dans un panier accroché dans le dos et retenu par une lanière qui passe sur le front.

Afin de satisfaire la demande intérieure et de continuer à exporter de façon régulière, les producteurs d'Assam se sont attachés ces dernières années à sélectionner des graines et des plants haut de gamme et à les multiplier par clonage. Ils ont aussi introduit la cueillette mécanisée sur certaines zones, pour pallier le manque de main-d'œuvre en période de pointe

*Jeunes théiers faisant partie d'un programme d'amélioration du drainage dans l'Assam.*

Les thés orthodoxes et CTC manufacturés sont transportés par camion jusqu'aux centres de vente aux enchères les plus proches à Guwuhati (pour le marché intérieur), Silgiri et Calcutta (pour le marché étranger).

## ASSAM *FIRST FLUSH*

Les théiers d'Assam démarrent leur croissance en mars, après la période hivernale de dormance, et la première récolte se fait de huit à dix semaines plus tard. Les Assam *first flush*, à l'inverse des Darjeeling, sont peu commercialisés en Europe et aux États-Unis.

## ASSAM *SECOND FLUSH*

La cueillette de la deuxième récolte commence en juin pour s'achever en septembre. Le dessous des grandes feuilles de *Camellia assamica* est recouvert d'un duvet argenté. Ces thés haut de gamme donnent une infusion cristalline rouge sombre à l'arôme riche, au goût puissant et malté, qui convient parfaitement au petit déjeuner.

---

### Napuk

**Caractéristiques**
Goût équilibré, arôme superbe, toutes les qualités d'un Assam de bonne facture.

**Conseils de préparation**
1 petite cuillerée par tasse d'eau à 95 °C. Laissez infuser 3 à 4 min.

**Conseils de dégustation**
)ıı
Se boit avec du lait. Très bon avec du pain grillé et de la confiture.

---

### Bamonpookri

**Caractéristiques**
Thé à feuilles régulières brun verdâtre. Infusion d'excellente qualité, au goût corsé et astringent.

**Conseils de préparation**
1 petite cuillerée par tasse d'eau à 95 °C. Laissez infuser 3 min.

**Conseils de dégustation**
)ıı
Thé de petit déjeuner. Se boit avec du lait.

## Thowra

**Caractéristiques**

Thé à feuilles magnifiques, avec beaucoup de pointes dorées. Liqueur épicée, pleine et puissante.

**Conseils de préparation**

1 petite cuillerée par tasse d'eau à 95 °C
Laissez infuser 3 à 4 min.

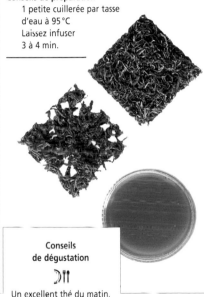

**Conseils de dégustation**

Un excellent thé du matin. Meilleur avec du lait.

### Autres jardins recommandés

Betjan, Bhuyanphir, Borengajuli, Dinjoye, Hajua, Halmari, Harmutty, Jamirah, Maud, Meleng, Nokhroy, Numalighur, Sankar, Seajuli, Sepon, Silonibari et Tara.

# ASSAM BLEND

Les mélanges d'Assam, pleins et puissants, au goût malté, sont idéals pour le matin, en particulier avec les petits déjeuners salés.

## Assam Blend

**Caractéristiques**

Liqueur rouge forte et pleine, au goût astringent et malté.

**Conseils de préparation**

1 petite cuillerée par tasse d'eau à 95 °C. Laissez infuser 3 à 4 min.

**Conseils de dégustation**

Thé du matin ou d'après-midi. Se boit avec du lait.

## ASSAM VERT

En Inde, le thé vert représente à peine plus de 1 % de la production totale. L'Assam en produit très peu, mais cette liqueur singulièrement légère, presque sucrée, vaut la peine d'être goûtée.

### Khongea

**Caractéristiques**
Thé vert d'Assam. Des jeunes feuilles qui donnent une liqueur limpide et dorée, à l'arôme parfumé et à la saveur sucrée.

**Conseils de préparation**
1 petite cuillerée par tasse d'eau à 90-95 °C. Laissez infuser 2 min 30.

**Conseils de dégustation**

Un thé de détente. Se boit sans lait, à n'importe quelle heure de la journée.

## DARJEELING

Nichée sur les contreforts de l'Himalaya au nord-est de l'Inde, à 1 800 m d'altitude, dans un environnement spectaculaire, la ville de Darjeeling est entourée de plus de 20 000 ha de jardins de thé. Par beau temps, on peut apercevoir l'Everest dans le lointain. On qualifie souvent les bons Darjeeling de «champagne» des thés ; leur subtile saveur de muscat et leur arôme merveilleux sont le résultat d'une association de facteurs favorables unique : un climat frais et humide, l'altitude, les chutes de pluie, le terrain, la qualité du sol et de l'air.

La plupart des théiers cultivés dans la région de Darjeeling sont issus de graines chinoises, d'hybrides chinois ou d'hybrides d'Assam. Les plants chinois, plus résistants au froid, se trouvent dans les plantations situées à 1 800 m d'altitude au nord de Darjeeling, où les théiers poussent sur un terrain abrupt. Dans les plantations du Sud, moins élevées, les plants d'Assam apprécient les pluies abondantes. Les 83 jardins de Darjeeling produisent environ 16 500 t de thé par an. Les cueilleuses (ce sont toujours des femmes) commencent à ramasser les feuilles tôt le matin et travaillent parfois sur des pentes en terrasse à 45 degrés.

À cause du climat et de la haute altitude, les théiers de Darjeeling ne poussent pas

*Plantation de thé* clonal *à Darjeeling.*

toute l'année. Le thé est récolté entre avril et octobre ; débute alors la période hivernale de dormance.

La croissance redémarre en mars, après les premières averses du printemps. À ce moment intervient la récolte de printemps ou *first flush.* La récolte d'été ou *second flush* a lieu en mai et juin. La mousson, qui atteint la

région au milieu du mois de juin et dure jusqu'à la fin du mois de septembre, apporte de 2,70 à 4,80 m d'eau. Les thés produits à cette période ont un fort taux d'humidité et sont de qualité standard. Les feuilles, traitées selon la méthode orthodoxe, ont une apparence brun-noir et sont roulées serré, avec beaucoup de pointes dorées.

## DARJEELING *FIRST FLUSH*

Les premières pousses nouvelles de théiers de Darjeeling sont cueillies en avril. Ces premiers thés de la saison, très recherchés, atteignent des prix incroyablement élevés dans les ventes aux enchères internationales. Une partie des meilleurs thés *first flush* va en France, en Allemagne, où ils sont très cotés depuis les années soixante, et en Russie. Les Darjeeling *first flush* sont attendus avec impatience, un peu comme le beaujolais nouveau, et la récolte est expédiée par avion dans les pays concernés de deux à quatre semaines après leur manufacture (il faudrait normalement attendre quatre semaines de plus). La liqueur est servie à l'occasion de séances de dégustation spéciales et d'*afternoon teas* qui sont entourés d'un maximum de publicité.

### Castleton

**Caractéristiques**

Thé de feuilles parfaites brun-vert avec beaucoup de pointes dorées, provenant d'un des plus prestigieux jardins de la région. Son parfum est exquis et il a le goût de muscat vert.

**Conseils de préparation**

1 ½ petite cuillerée par tasse d'eau à 95 °C. Laissez infuser 2 à 3 min.

**Conseils de dégustation**

Thé d'après-midi qui se boit sans lait. Se marie bien avec le saumon fumé et avec des fraises nappées de crème.

*Cueilleuses de thé à Darjeeling.*

## Bloomfield

**Caractéristiques**

Thé exquis. Des feuilles magnifiques,
avec beaucoup de pointes blanches.
Sa saveur subtile et astringente est typique
des Darjeeling *first flush*.

**Conseils de préparation**

1 ½ petite cuillerée par tasse d'eau à 95 °C.
Laissez infuser de 2 à 3 min.

**Conseils
de dégustation**

Thé d'après-midi.
Se boit sans lait.

## Autres jardins recommandés

Ambootia, Badamtam, Balasun, Gielle,
Goomtee, Gopaldhara, Kalej Valley, Lingia,
Millikthong, Mim, Namring, Orange Valley,
Pandam, Seeyok, Singtom, Soureni,
Springside et Thurbo.

## Margaret's Hope

**Caractéristiques**

Thé de grand prix provenant d'un jardin
célèbre. De jolies feuilles brun-vert, avec des
pointes dorées, donnant une liqueur cristalline
et brillante à la saveur douce et délicate.

**Conseils de préparation**

1 petite cuillerée par tasse d'eau à 95 °C.
Laissez infuser 2 à 3 min.

**Conseils
de dégustation**

Thé d'après-midi.
Se boit sans lait.

## DARJEELING *IN-BETWEEN*

Les Darjeeling *in-between* (ou intermé-
diaires), cueillis en avril et en mai, donnent
une infusion dont la saveur allie la verdeur et
l'astringence des jeunes feuilles *first flush* à la
maturité plus ronde des thés *second flush* du
début de l'été. Ces thés sont plus rares mais
il est intéressant de les essayer. Ils se boivent
sans lait.

# DARJEELING *SECOND FLUSH*

Les Darjeeling *second flush*, cueillis en mai et en juin, sont des thés d'une grande finesse, considérés comme les plus caractéristiques de l'excellence des Darjeeling. Ils ont une saveur plus ronde, plus fruitée, plus mûre et moins astringente que celle des thés précoces. Les feuilles sont d'un brun plus foncé, avec beaucoup de pointes argentées.

## Namring

**Caractéristiques**
Des feuilles magnifiques, qui donnent un goût fruité, bien équilibré.

**Conseils de préparation**
1 petite cuillerée par tasse d'eau à 95 °C. Laissez infuser 3 min.

**Conseils de dégustation**

Un thé d'après-midi à réserver pour les grandes occasions.

## Puttabong

**Caractéristiques**
Liqueur très douce au goût prononcé de muscat. Un des meilleurs *second flush*.

**Conseils de préparation**
1 petite cuillerée de thé par tasse d'eau à 95 °C. Laissez infuser 3 min.

**Conseils de dégustation**

Se boit sans lait, à tout moment de la journée.

## Autres jardins recommandés

Badamtam, Balasun, Bannockburn, Castleton, Gielle, Glenburn, Jungpana, Kalej Valley, Lingia, Makaibari biologique, Moondakotee, Nagri, Phoobsering, Risheehat, Singbulli, Snowview, Soom, Teesta Valley, Tongsong et Tukdah.

## DARJEELING *AUTUMNAL*

Les Darjeeling d'automne, cueillis en octobre et novembre, donnent après traitement des feuilles brun foncé de très bonne qualité. L'infusion est cuivrée, beaucoup plus sombre que celle des thés plus précoces.

### Margaret's Hope

**Caractéristiques**
De grandes feuilles brun foncé qui donnent une liqueur pleine et forte, à la saveur ronde et à l'arôme sublime.

**Conseils de préparation**
1 petite cuillerée par tasse d'eau à 95 °C. Infusion, 3 min.

**Conseils de dégustation**

Avec ou sans lait, à tout moment de la journée.

### Autres jardins recommandés

Sungma et Pussimbing.

## DARJEELING BLEND

Les thés provenant de plusieurs jardins et de cueillettes pratiquées à différentes saisons sont mélangés pour donner une liqueur de grande qualité, à la saveur unique en son genre et à l'arôme sublime.

### Darjeeling Blend

**Caractéristiques**
Un délicat mélange de thés des meilleurs jardins Infusion légère à la subtile saveur de muscat et à l'arôme prononcé

**Conseils de préparation**
1 petite cuillerée par tasse d'eau à 95 °C. Laissez infuser 3 min.

**Conseils de dégustation**

Un thé d'après-midi. Se boit avec un peu de lait ou sans.

*Boîte de thé*
*Darjeeling*
*de grande qualité.*

# DARJEELING VERT

Bien que Darjeeling se consacre essentielle-ment à la production de thés noirs, on pense que la demande en thé vert de bonne qualité va augmenter, en raison notamment des ver-tus thérapeutiques qui lui sont attribuées (Darjeeling n'est pas la seule région d'Inde à produire maintenant du thé vert).

# DOOARS

Dooars, petite province de l'ouest de l'Assam, produit des thés *low-grown*, de couleur sombre, qui ont du corps mais moins de caractère que les Assam. Ce sont de bons thés de journée, qui se boivent volontiers le matin ou l'après-midi.

## Arya

**Caractéristiques**
Thé rare d'un jardin bien connu. Donne une infusion qui évoque le Sencha japonais. Un arôme exquis, un goût délicat.

**Conseils de préparation**
1 petite cuillerée par tasse d'eau à 70 °C. Infusion, 3 min.

**Conseils de dégustation**

Se boit sans lait comme thé digestif ou pour se désaltérer.

## Good Hope

**Caractéristiques**
Une infusion joliment colorée, fraîche et fleurie.

**Conseils de préparation**
1 petite cuillerée par tasse d'eau à 95 °C. Laissez infuser 3 à 4 min.

**Conseils de dégustation**

Un thé de journée qui supporte un peu de lait.

## Autre jardin recommandé

Risheehat.

# NILGIRI

Les monts Nilgiri ou montagnes Bleues, qui se situent à la pointe sud-ouest de l'Inde, vont de l'État du Kerala, une autre région productrice de thé, à l'État du Tamil Nadu. On trouve, au milieu des montagnes, des prairies et des jungles où les éléphants circulent en troupeaux. Cette région fut consacrée à la culture du thé en 1840, lorsque le colonel John Outcherloney, qui procédait à une expertise topographique dans cette région, découvrit une forêt vierge, bien irriguée par ses propres rivières. Cet endroit, avec une altitude de 1350 m environ et une pluviosité de 2000 mm par an, était idéal pour la culture du thé et du café. Le frère de John, James, créa les plantations, importa la main-d'œuvre et la nourriture, et la production débuta.

Aujourd'hui, les théiers plantés parmi les eucalyptus, les cyprès et les gommiers bleus,

*Le « Nilgiri Queen » traverse la plantation de Glendale, dans les monts Nilgiri.*

*Champ de théiers typique de Nilgiri, en bordure de jungle, avec les arbres qui fournissent de l'ombre.*

à une altitude variant de 300 à 1 800 m, recouvrent une superficie de 25 000 ha. Ils produisent environ 60 000 t de thé par an, ce qui fait de Nilgiri la deuxième région productrice de thé d'Inde après l'Assam. Chaque plateau, chaque pente, chaque vallée est couvert d'arbustes récoltés toute l'année durant. Une grande partie des plantations reçoit deux moussons par an, ce qui donne deux grandes périodes de récolte : une en avril-mai, qui représente 25 % de la récolte annuelle ; et une de septembre à décembre, où 35 à 40 % de plus sont cueillis. Les autres cueillettes s'étalent sur le reste de l'année. C'est ainsi que le thé acquiert sa saveur unique au monde.

Nilgiri produit des thés raffinés, donnant des liqueurs brillantes, vives, à la saveur douce et ronde. Ce sont des thés puissants, qui se mélangent idéalement avec des thés plus légers ; ils sont goûteux mais n'ont pas beaucoup de corps.

## Nunsuch

**Caractéristiques**
Thé à grandes feuilles qui donne une infusion brillante, fruitée, pleine de saveur.

**Conseils de préparation**
1 petite cuillerée par tasse d'eau à 95 °C. Laissez infuser 3 à 4 min.

### Conseils
de dégustation

✷

Se boit toute la journée, avec un peu de lait.

## Autres jardins recommandés

Chamraj, Corsley, Havukal, Tigerhill, Pascoes Woodlands, et Tungmullay.

# SIKKIM

Ce petit État indien produit des thés comparables en caractère aux Darjeeling, mais avec plus de corps et une saveur fruitée. Très peu sont exportés, aussi risquent-ils d'être difficiles à trouver.

## Temi

**Caractéristiques**
Thé orthodoxe haut de gamme de type Darjeeling. Magnifiques feuilles et beaucoup de pointes dorées. Une liqueur parfumée à la saveur fruitée rappelant presque le miel.

**Conseils de préparation**
1 petite cuillerée par tasse d'eau à 95 °C Laissez infuser 3 min.

### Conseils
de dégustation

✸

À réserver pour les grandes occasions. Se boit nature ou avec un nuage de lait.

# TERAI

Le Terai est cultivé dans la plaine située au sud de Darjeeling. Il donne une infusion richement colorée, avec un goût épicé prononcé. On l'utilise dans les mélanges.

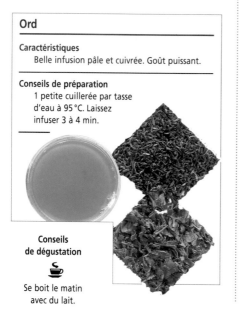

**Ord**

**Caractéristiques**
Belle infusion pâle et cuivrée. Goût puissant.

**Conseils de préparation**
1 petite cuillerée par tasse d'eau à 95 °C. Laissez infuser 3 à 4 min.

**Conseils de dégustation**

Se boit le matin avec du lait.

# TRAVANCORE

Travancore, à la même altitude que le Sri Lanka, produit des thés aux caractéristiques similaires à celles des thés de Ceylan, et qui rappellent aussi ceux du nord de l'Inde.

**Highgrown**

**Caractéristiques**
Liqueur cuivrée au goût puissant, plein et légèrement terreux.

**Conseils de préparation**
1 cuillerée par tasse d'eau à 95 °C. Infusion, 3 à 4 min.

**Conseils de dégustation**

Se boit avec un nuage de lait au petit déjeuner.

# THÉS DU SUD DE L'INDE

Les thés provenant d'autres régions du sud de l'Inde – Kerala, Madras et Mysore – tendent à être commercialisés sous l'appellation de Travancore. Le Tea Board of India fait uniquement la promotion des Darjeeling, des Assam et des Nilgiri en tant que thés d'origine, qui se boivent purs.

Les régions d'Inde du Sud (40 000 exploitations) produisent 193 000 t de thé par an, dont le quart est exporté.

# SRI LANKA

*Les thés provenant de la région la plus élevée de l'île sont considérés comme
le «champagne» des thés de Ceylan.*

A VANT LES ANNÉES 1860, la culture principale de l'île de Sri Lanka – Ceylan à l'époque – était le café. Mais, en 1869, le champignon responsable de la rouille du café, *Hemileia vastatrix*, détruisit la majorité des plants de café et les propriétaires durent opter pour la diversification. La plantation Loolecondera s'intéressait au thé depuis les années 1850 ; en 1866, James Taylor, un Écossais fraîchement débarqué, fut choisi pour superviser les premières semailles de graines de théiers, effectuées en 1867 sur 7 ha de terrain.

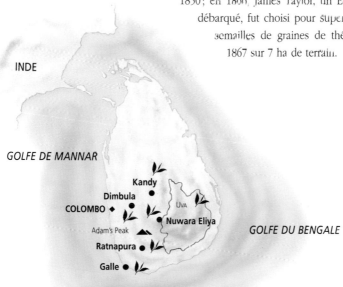

INDE

GOLFE DE MANNAR

Kandy
Dimbula
COLOMBO ◆
UVA
Nuwara Eliya
Adam's Peak
Ratnapura
Galle ●

GOLFE DU BENGALE

Taylor, qui avait acquis les rudiments de la culture du thé en Inde du Nord, installa une fabrique expérimentale sous la véranda de son bungalow, où le roulage du thé était effectué à la main sur des tables. On le séchait ensuite dans des poêles en terre installés sur des feux alimentés au charbon. Les feuilles étaient posées sur des grilles en métal. Ces thés étaient vendus localement et on les trouvait délicieux. En 1872, Taylor disposait d'une fabrique moderne. L'année suivante, ses thés de première qualité se vendirent à bon prix aux enchères de Londres. Taylor fut l'artisan de la réussite de la culture du thé à Ceylan. De 1873 à 1880, la production passa de 23 livres à 80 t, et en 1890 elle atteignit 22 900 t.

La plupart des jardins de Ceylan se situent entre 900 et 2 400 m d'altitude au sud-ouest de l'île, à l'est de Colombo, et dans le district de Galle, au sud. Dans les plaines et sur les contreforts des montagnes, placés sous l'emprise d'un climat chaud et humide, les théiers se dotent de nouvelles feuilles tous les sept ou huit jours et la cueillette s'étale sur toute l'année. Les thés les plus fins sont récoltés entre la fin juin et la fin août dans les districts de l'Est, et entre le début février et la mi-mars dans ceux de l'Ouest.

Avant 1971, plus de 80 % des plantations appartenaient à des compagnies britanniques, puis le gouvernement sri lankais vota une loi donnant à l'État le contrôle de la

*Les cueilleuses mettent les feuilles dans des paniers.*

majorité des plantations (qui produisent aussi du caoutchouc et des noix de coco pour l'exportation) ; un tiers environ resta aux mains du secteur privé. Depuis 1990, un programme de restructuration a été mis en place pour que les compagnies privées (sri lankaises et étrangères) s'investissent dans les plantations devenues propriété de l'État. L'objectif à long terme est de faire prendre aux compagnies privées une grande partie de la responsabilité financière et de leur laisser la direction des plantations qui, elles, resteraient toujours la propriété du gouvernement.

Ces dernières années, à cause de graves problèmes politiques, industriels et économiques, le Sri Lanka est passé de premier à huitième producteur mondial. Les producteurs doivent prendre des décisions importantes concernant les méthodes de culture, la variété des produits et les marchés à l'exportation. Bien que le Royaume-Uni ait été autrefois le plus gros client du Sri Lanka, presque 70 % de la production va aujourd'hui en Russie, au Moyen-Orient et en Afrique du Nord. Traditionnellement, le marché arabe préfère les thés orthodoxes, mais les consommateurs se convertissent progressivement aux goûts des Européens et sont de plus en plus friands de thé en sachets. Or, les thés orthodoxes de Ceylan, très raffinés, considé-

rés par beaucoup comme les meilleurs thés du monde, ne se prêtent pas à la mise en sachets. Seulement 3 % de la production était CTC, et à l'heure actuelle les producteurs doivent décider ou non de se convertir à la production de thé CTC pour conquérir un marché plus vaste.

Certains fabricants pensent qu'il y aura toujours un marché pour les thés orthodoxes, d'autres pensent que l'avenir est au CTC. On souhaite également trouver de nouveaux clients pour toute une gamme de thés préemballés désormais commercialisés. Les produits contenant 100 % de thé de Ceylan utilisent l'emblème du lion créé par le Ceylon Tea Board, qui garantit l'origine et protège l'image de qualité des thés du Sri Lanka.

*Logo du thé de Ceylan.*

Les meilleurs thés du Sri Lanka proviennent d'arbres situés à plus de 1 200 m d'altitude. Les théiers poussent plus lentement sous ce climat frais et brumeux, et se récoltent plus difficilement à cause du terrain abrupt.

Il y a six grandes régions productrices de thé : Galle, au sud de l'île, Ratnapura, à environ 80 km à l'est de la capitale Colombo, Kandy, région de basse altitude près de l'ancienne capitale royale, Nuwara Eliya, région la plus élevée, qui produit les thés les plus raffinés, Dimbula, à l'ouest des montagnes du centre, et Uva, à l'est de Dimbula.

Chaque thé possède une couleur, un arôme et un goût particuliers. Les thés *low-grown*, cultivés entre 450 et 550 m, sont de bonne qualité. Ils donnent une liqueur forte et colorée qui n'a pas la saveur particulière, vive et astringente, des thés cultivés à plus haute altitude. Ils sont généralement utilisés dans les mélanges. Les thés *mid-grown*, cultivés entre 550 et 1 000 m, donnent une liqueur colorée au goût riche. Les thés *high-grown*, cultivés entre 1 000 et 2 200 m, sont les meilleurs ; ils donnent une jolie liqueur dorée à la saveur puissante et intense. En plus de ces merveilleux thés noirs, certaines plantations produisent aussi du thé blanc à pointes argentées donnant une liqueur très pâle (de couleur paille) qui se boit nature. Tous les thés noirs de Sri Lanka peuvent se boire avec un peu de lait.

# DIMBULA

Comme Nuwara Eliya, la région de Dimbula est inondée par la mousson en août et en septembre, et produit ses meilleurs thés pendant les mois de la saison sèche (janvier et février). Ses thés sont prisés pour leur corps et leur arôme puissant.

**Kenilworth**

**Caractéristiques**
De belles et longues feuilles d'Orange Pekoe torsadées qui donnent une liqueur pleine et forte, au goût exquis évoquant le chêne.

**Conseils de préparation**
1 cuillerée par tasse d'eau à 95 °C. Infusion, 3 à 4 min.

**Conseils de dégustation**
Se boit l'après-midi, avec un nuage de lait.

## Autres jardins recommandés

Diyagama, Loinorn, Pettiagalla, Redalla, Somerset, Strathspey et Theresia.

# GALLE

Cette région du sud de l'île est spécialisée dans les Flowery Orange Pekoe et les Orange Pekoe à feuilles régulières, qui donnent une liqueur couleur ambre à l'arôme parfumé et au goût raffiné et subtil.

## Devonia

### Caractéristiques
Une feuille bien faite, qui donne une infusion dorée au goût subtil et parfumé.

### Conseils de préparation
1 petite cuillerée par tasse d'eau à 95 °C. Laissez infuser de 3 à 4 min.

### Conseils de dégustation
Excellent pour l'après-midi. Se boit avec un peu de lait.

## Allen Valley

### Caractéristiques
Feuilles magnifiques, qui donnent une liqueur douce et parfumée.

### Conseils de préparation
1 petite cuillerée de thé par tasse d'eau à 95 °C. Infusion, 3 à 4 min.

### Conseils de dégustation
Se boit l'après-midi, avec un nuage de lait.

## Galaboda

**Caractéristiques**

Feuille régulière, qui donne une magnifique liqueur colorée, à l'arôme exquis et au goût riche et suave.

**Conseils de préparation**

1 cuillerée par tasse d'eau à 95 °C.
Laissez infuser 3 à 4 min.

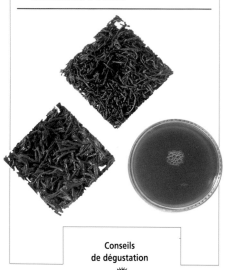

**Conseils
de dégustation**

Se boit avec du lait à toute heure de la journée.

**Autre jardin recommandé**

Berubeula.

# NUWARA ELIYA

Ces thés, de la région la plus élevée de l'île, sont souvent décrits comme le «champagne» des thés de Ceylan. Les feuilles se récoltent toute l'année, mais les thés les plus fins s'obtiennent à la cueillette de janvier et février. Les meilleurs thés de la région donnent une liqueur d'excellente qualité, riche et dorée, douce et brillante, délicatement parfumée.

*Cueilleuse de thé de Ceylan.*

## Nuwara Eliya Estate

**Caractéristiques**
Une saveur vive et astringente,
un merveilleux parfum.

**Conseils de préparation**
1 petite cuillerée par tasse d'eau à 95 °C.
Laissez infuser de 3 à 4 min.

**Conseils
de dégustation**

Se boit avec un nuage de
lait, toute la journée.

## Autres jardins recommandés

Gastotte, Lover's Leap et Tommagong.

# RATNAPURA

Ratnapura produit des thés *low-grown* principalement utilisés dans les mélanges, mais qui se boivent aussi purs, avec un nuage de lait.

## Ratnapura

**Caractéristiques**
Thé à longues feuilles qui donne une infusion
à l'arôme assez doux, au goût discret et subtil.

**Conseils de préparation**
1 cuillerée par tasse d'eau à 95 °C
Laissez infuser 3 à 4 min.

**Conseils
de dégustation**

Thé d'après-midi,
qui se boit avec du lait.

# UVA

Les plantations d'Uva, sur les pentes orientales des montagnes du centre de l'île, produisent des thés à la saveur délicieuse réputés dans le monde entier. Les meilleurs sont récoltés entre juin et septembre. Le vent sec qui souffle sur Uva à cette période donne aux thés un arôme et un goût raffinés.

## Saint James

**Caractéristiques**
Infusion cuivrée à la saveur moelleuse et prononcée, à l'arôme agréable.

**Conseils de préparation**
1 cuillerée par tasse d'eau chaude à 95 °C. Infusion, 3 à 4 min.

**Conseils de dégustation**

 )|| ☀

Se boit avec du lait, toute la journée.

## Autres jardins recommandés

Adawatte, Aislaby, Attempettia, Blairmond, Bombagalla, Dyraaba, High Forest et Uva Highlands.

# BLENDS DE CEYLAN

Suivant la coutume établie au XIXe siècle par sir Thomas Lipton, plusieurs compagnies commercialisent encore les Blends (mélanges) de Ceylan, connus sous les appellations de Ceylan Orange Pekoe ou Ceylan BOP, ou parfois sous les noms de leur plantation d'origine. Un bon mélange donnera une liqueur brillante, riche et cuivrée, au goût frais et astringent. Si le lion du Ceylon Tea Board figure sur le paquet, les mélanges sont 100 % Ceylan.

*Un jeune théier.*

# L'Extrême

# Orient

# CHINE

*Le plus grand choix au monde de thés haut de gamme,
dont certains sont encore traités à la main.*

L A CULTURE INDUSTRIELLE du thé en Chine commença bien avant la naissance du Christ. Par le passé, les marchands chinois reconnaissaient plus de 8 000 variétés de thés différentes, classées selon cinq méthodes de fabrication, deux grades de qualité de fabrication, quatre grades de classification des feuilles et 200 noms de lieux. La culture du thé se pratiquait partout, dès lors que le paysan disposait d'une parcelle de terrain sur la petite exploitation familiale.

*Roulage des feuilles à la main en Chine, au XVIIe siècle.*

Jusqu'à la fin du XIXe siècle, les techniques utilisées pour la culture du thé demeurèrent ancestrales. Les graines ramassées en octobre germaient en hiver pour être plantées lors des pluies printanières. Les plus grandes plantations étaient établies sur les contreforts montagneux orientés au nord et à l'est, et on cultivait le millet et le blé parmi les théiers pour donner de l'ombre. Pendant les mois d'hiver, on protégeait les arbustes contre le gel avec de la paille. Un ancien proverbe chinois, maintes fois vérifié, dit que «les thés les plus fins viennent des hautes montagnes». Les Chinois ont cependant fait pousser du thé partout, même à la périphérie des grandes

villes ou dans des lieux isolés, presque inaccessibles. Dans son livre *La Route du thé et des fleurs*, publié en 1852, Robert Fortune fait cette description des techniques d'élaboration du thé :

«Pendant les saisons de récolte, lorsque le temps est sec, on voit des familles regroupées sur les pentes des montagnes, occupées à cueillir les feuilles de thé. [...] Les plats de séchage sont en fer, ronds et peu profonds, et en fait identiques ou presque à ceux que les indigènes utilisent tous les jours pour faire cuire leur riz.

«Ces ustensiles deviennent brûlants presque tout de suite après que l'air chaud a commencé à circuler dans le tuyau qui passe dessous. Une bonne quantité de feuilles stockées dans un panier ou un tamis sont alors versées dans ces récipients, puis remuées. Les feuilles subissent immédiatement l'effet de la chaleur. En quelque cinq minutes elles perdent leur croustillant, deviennent moelleuses et souples. On les retire ensuite pour les mettre sur une table dont le dessus est fait de bambou refendu. [...] Trois ou quatre personnes sont maintenant autour de la table, le tas de feuilles est divisé en plusieurs parts, chacun prend dans ses mains autant de feuilles qu'il peut, et le roulage commence. »

Depuis la Révolution culturelle, des coopératives de thé ont été créées et la mécanisation a été introduite dans bon nombre de fabriques pour remplacer les méthodes manuelles séculaires. En certains endroits pourtant, la production manuelle a toujours cours.

À l'heure actuelle, le thé est cultivé dans 18 provinces : Anhui, Fujian, Gansu, Guangdong, Guizhou, Hainan, Henan, Hubei, Hunan, Jiangsu, Jiangxi, Shaanxi, Shangdong, Sichuan, Yunnan, Zhejiang, Tibet et Guangxi Zhuang ; les plus importantes sont le Zhejiang, le Hunan, le Sichuan, le Fujian et l'Anhui. La production est un monopole d'État, et sur les paquets figurent les informations concernant la compagnie responsable de la manufacture et de la commercialisation.

Ces coopératives d'État produisent des thés noirs, verts et Oolong de bonne qualité, qui sont généralement mélangés pour obtenir une qualité standard chaque année. Certains de ces thés sont d'excellente qualité et partent à l'exportation.

Les thés verts destinés au marché intérieur représentent environ 80 % de la production annuelle. Une grande partie des thés noirs et

*Séparation des feuilles avant la dessiccation.*

des Oolong, destinée à l'exportation, se vend directement aux compagnies de thé plutôt que dans les ventes aux enchères.

Les thés de Chine « première récolte » *(first crop)* sont cueillis entre la mi-avril et la mi-mai. Cette récolte, réputée donner les meilleurs thés, représente environ 55 % de la production. La deuxième récolte a lieu au début de l'été, et parfois une troisième intervient à l'automne dans certaines régions.

*Jardin de thé dans la province du Sichuan.*

Les thés de Chine sont vendus non pas sous le nom de leur jardin d'origine, mais plutôt sous des appellations qui désignent la manufacture et la qualité. Chaque province donne un nom à chacun de ses thés, avec une orthographe et une prononciation particulières, de sorte que des noms qui paraissent complètement différents font souvent référence au même thé. Un autre problème vient du fait que, même en chinois, un thé peut avoir plus d'un seul nom – son nom

principal, son nom historique et un nom qui donne une information géographique.

Ainsi, un thé commercialisé en Occident sous le nom de Chunmee (ou de Chun Mei) devient Zhenmei en pinyin, Janmei en cantonais, tout en étant aussi connu sous le nom de Eyebrow Tea à cause de l'aspect de la feuille traitée (en forme de sourcil). Le Pingshui Gunpowder, manufacturé à Pingshui, se dira en pinyin Pinshui Zhucha (qui veut dire thé perlé, par référence à ses très petites boulettes) et en cantonais Ping Shui Chue Cha.

En plus du nom, chaque thé commercialisé porte un numéro indiquant qu'il est conforme à des critères donnés et peut donc être acheté sans dégustation préalable. Les thés qui ne correspondent pas à un tel standard ne sont pas commercialisés.

Les exportations de thé de Chine prennent de l'essor grâce à l'intérêt croissant manifesté par les connaisseurs, qui ont récemment découvert l'existence d'une étonnante variété dans les catégories et dans les goûts, et qui en ont reconnu les qualités.

Les exportations sont passées de 151 000 t en 1989 à 225 000 t au début des années quatre-vingt-dix. En Chine, le thé vient au troisième rang des exportations, après la soie et les céréales. Les principaux clients sont le Maroc, les États-Unis, la Tunisie, la Pologne, Hong Kong, la Russie, les pays de la C.E.I. et le Royaume-Uni. Aux États-Unis, les ventes augmentent régulièrement, et les thés de Chine rares figurent maintenant sur les catalogues de vente par correspondance et dans les magasins spécialisés – qui ne proposent pas seulement des thés noirs et des Oolong, mais aussi des thés blancs parmi les plus rares comme le Yin Zhen, et des thés verts aux noms exotiques de Silver Dragon ou de Puits du Dragon, ainsi que plusieurs variétés de thé au jasmin et de thés compressés tels le Tuocha et le Pu-erh. Ce dernier est généralement apprécié pour ses vertus thérapeutiques : il soignerait, dit-on, la diarrhée, l'indigestion et les taux de cholestérol excessifs. Il s'agit d'un thé qui se vend sous diverses formes : nids d'oiseau, galets... (voir pages 160-161).

*Triage du thé dans une manufacture à Anxi.*

# Thés blancs de Chine

## Pai Mu Tan Impérial (Baimudan, Pivoine blanche)

Ce thé blanc rare est composé de feuilles et de bourgeons très petits. Après le passage à la vapeur et le séchage, ils ont l'aspect de bottes miniatures de petites fleurs blanches et de minuscules feuilles

### Caractéristiques

Ce thé blanc venu de la province de Fujian donne une infusion limpide et pâle, à l'arôme frais, à la saveur moelleuse et veloutée.

### Conseils de préparation

2 petites cuillerées par tasse d'eau à 85 °C.
Infusion, 7 min.

### Conseils de dégustation

Se boit sans lait ni sucre, après les repas comme digestif ou en thé léger d'après-midi.

## Yin Zhen (Yinfeng, Aiguilles d'argent)

Ce thé est composé de jeunes bourgeons tendres recouverts de duvet blanc argenté. Ce thé blanc est parfois vendu en tant que Silvery Tip Pekoe, China White ou Fujian White.

### Caractéristiques

C'est le thé blanc par excellence. Les feuilles, qui ressemblent à des aiguilles d'argent, sont cueillies deux jours par an et traitées entièrement à la main. Très cher mais sublime.

### Conseils de préparation

2 petites cuillères par tasse d'eau à 85 °C.
Laissez infuser 15 min.

### Conseils de dégustation

Un thé pour toute la journée. Se boit nature, sans lait ni sucre, comme un digestif rafraîchissant.

# THÉS VERTS DE CHINE

## Chunmee (Chun Mei, Sourcils du vieux sage)

C'est la forme de la feuille qui donne son nom au thé. Le traitement des thés en forme de sourcil demande beaucoup de savoir-faire pour rouler les feuilles correctement, à la bonne température et pendant une durée correcte.

### Caractéristiques
Longues feuilles fines couleur de jade qui donnent une liqueur jaune, cristalline, au goût moelleux. Très répandu chez les consommateurs chinois depuis des années.

### Conseils de préparation
2 petites cuillerées par tasse d'eau à 70 °C. Infusion, 3 à 4 min.

### Conseils de dégustation
Se boit seul ou avec de la menthe, toute la journée. Très désaltérant.

## Gunpowder (Zhucha, Poudre de canon)

La majeure partie du thé Gunpowder provient de Pingshui, dans la province du Zhejian, et des régions avoisinantes.

### Caractéristiques
Liqueur forte, d'un vert cuivré, au goût astringent.

### Conseils de préparation
Mettez 2 bonnes petites cuillerées dans une théière remplie d'eau à 70-80 °C. Laissez infuser 3 min.

### Conseils de dégustation

Se boit nature l'après-midi ou le soir, ou bien en thé glacé, servi sucré et parfumé au citron, ou encore en thé à la menthe.

## Lung Ching (Longjing, Puits du dragon)

Ce célèbre thé est produit par la province du Zhejiang, dans un village du nom de «Puits du dragon». Ce thé obtint une médaille d'or en 1988 au Congrès international pour la qualité.

### Caractéristiques
Thé célèbre pour ses feuilles vertes plates, sa couleur vert jade, son arôme délicieux et son goût moelleux. Donne une liqueur jaune clair à l'arrière-goût légèrement sucré.

### Conseils de préparation
2 petites cuillerées par tasse d'eau à 70°C. Laissez infuser 3 min.

### Conseils de dégustation
Se boit nature, pour se désaltérer la journée, ou en digestif après le repas.

## Pi Lo Chun (Biluochun, Spirale de jade du printemps)

Ce thé rare est célèbre pour son aspect d'escargot. Entourés de pêchers, de pruniers et d'abricotiers, les théiers s'imprègnent de la fragrance de leurs fleurs. On ne cueille qu'une feuille avec le bourgeon.

### Caractéristiques
Les feuilles et les bourgeons, roulés à la main, forment des spirales évoquant l'escargot, recouvertes de duvet argenté. La liqueur jaune-vert a une saveur fraîche, légèrement sucrée.

### Conseils de préparation
2 petites cuillerées par tasse d'eau à 70°C. Infusion, 3 à 4 min.

### Conseils de dégustation
Se boit nature. À réserver pour de grandes occasions, à cause de son prix élevé et de sa grande qualité.

## Xinyang Maojian

Le temps brumeux qui sévit dans les montagnes de Xinyang, dans la province du Henan, donne un thé à l'arôme frais et raffiné et à l'arrière-goût subtil.

### Caractéristiques
Fines et longues feuilles qui donnent une infusion vert orangé, à l'arôme frais et au goût moelleux.

### Conseils de préparation
2 petites cuillerées par tasse d'eau à 70 °C. Infusion, 3 min.

### Conseils de dégustation
Ce thé vert se boit sans lait ni sucre.

## Taiping Houkui (Tai Ping Hau Fui)

C'est le meilleur des thés verts de la province de l'Anhui. Les feuilles s'imprègnent de la senteur exhalée par les millions d'orchidées qui poussent à l'état sauvage au moment où s'ouvrent les jeunes feuilles. Ce thé remporta une médaille d'or en 1915 à la Foire internationale du Pacifique à Panamá.

### Caractéristiques
Les feuilles vert foncé, droites et pointues, s'ouvrent dans l'eau chaude en révélant leurs nervures roses et donnent un goût d'orchidée.

### Conseils de préparation
2 petites cuillerées par tasse d'eau à 70 °C. Laissez infuser 3 min.

### Conseils de dégustation
Un thé léger et subtil. Se boit sans lait ni sucre.

### Autres thés verts de Chine à recommander
Dong Yang Dong Bai, Guangdong, Guo Gu Nao, Huang Shan Mao Feng, Hu Bei, Hunan Green, Hyson, Pai Hou, Son Yang Ying Hao et White Downy.

# OOLONG DE CHINE

## Fonghwang Tan-chung
### (Fenghuang Dancong, Fenghuang Select)

Les feuilles de ce thé, qui viennent de grands arbres
à tronc érigé, se cueillent à l'aide d'une échelle. Les
locaux préparent ce thé très fort dans de minuscules
théières. Ils font tremper les feuilles 1 minute pour
la première infusion, 3 minutes pour la deuxième
et 5 minutes pour la troisième.

### Caractéristiques
Les feuilles dorées deviennent vertes au contact
de l'eau, ourlées de brun rougeâtre. La liqueur
est d'un brun orangé pâle. La première infusion
peut être amère. La seconde est plus moelleuse.

### Conseils de préparation
1 petite cuillerée par tasse d'eau à 95 °C.
Laissez infuser de 5 à 7 min.

### Conseils
### de dégustation
☾
Un thé excellent et raffiné.
Se boit en soirée.

## Shui Hsien (Shuixian, Fée des eaux)

Ce théier est un grand arbre à un seul tronc. Les
feuilles sont grandes, d'un vert brillant et foncé ;
les gros bourgeons d'un vert jaunâtre sont couverts
de duvet. Dans la province du Fujian, on les utilise
indifféremment pour faire des thés noirs ou blancs.

### Caractéristiques
Feuilles torsadées donnant une liqueur limpide,
brun orangé, à la saveur légèrement épicée.

### Conseils de préparation
1 petite cuillerée par tasse d'eau à 95 °C.
Laissez infuser 5 à 7 min.

### Conseils
### de dégustation
☕ ☀
Se boit sans lait ni sucre,
le matin ou à toute heure
de la journée.

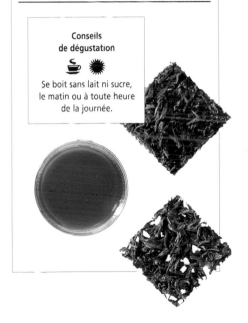

## Ti Kuan Yin
**(Tieguanyin, Déesse en fer de la miséricorde)**

Ce thé très spécial provient aussi de la province du Fujian. La déesse de la miséricorde serait apparue en rêve à un paysan de la région et lui aurait dit de regarder dans la grotte derrière son temple. Il y trouva une unique pousse de thé qu'il planta et cultiva. C'est l'un des thés les plus prisés de Chine.

### Caractéristiques
Grosses feuilles gaufrées se déroulant dans l'eau et devenant brun-vert à bords dentelés. Vert brunâtre, l'infusion a un goût aromatique léger.

### Conseils de préparation
Mettez 1 petite cuillerée de thé dans une théière et versez de l'eau à 95°C. Videz aussitôt l'eau et laissez respirer les feuilles pendant quelques instants. Remplissez à nouveau la théière et laissez infuser 3 à 5 min. Les feuilles serviront à faire plusieurs infusions.

### Conseils de dégustation

Un thé particulier pour les grandes occasions. Se boit sans lait ni sucre.

## Pouchong (Pao Zhong, Baozhong)

Le nom de ce thé un peu fermenté vient de ce que les feuilles étaient initialement enveloppées dans du papier durant la fermentation. Originaire du Fujian, la méthode de sa fabrication fut exportée à Taiwan.

### Caractéristiques
Longues feuilles noires qui donnent une infusion ambrée, très légère, à la saveur moelleuse.

### Conseils de préparation
1 petite cuillerée par tasse d'eau à 95°C. Laissez infusez 5 à 7 min.

### Conseils de dégustation

Se boit sans lait l'après-midi ou le soir.

## Autres Oolong de Chine à recommander
China Fujian Dark Oolong, Dahongpao, Oolong Sechung et Wuyi Liu Hsiang (Liuxiang).

# THÉS NOIRS DE CHINE

*Dégustateur de thé, Keemun.*

## Keemun

En 1915, le Keemun gagna une médaille d'or à la Foire internationale de Panamá. Cultivé dans la province de l'Anhui, il est fabriqué avec une adresse méthodique *(gongfu)*, pour obtenir de fines lanières de feuilles sans les briser.

### Caractéristiques

Feuilles noires donnant une liqueur riche, brune, à la saveur un peu parfumée et à l'arôme délicat.

### Conseils de préparation

1 petite cuillerée par tasse d'eau à 95 °C. Laissez infuser 5 à 7 min.

### Conseils de dégustation

Excellent avec des mets peu épicés et en digestif. Se boit sans lait ni sucre. Un thé parfait pour le soir.

*Jardin de thé de Keemun.*

## Keemun Mao Feng

Mao Feng signifie « pointe de cheveu », car les feuilles sont roulées à la main de manière plus fine encore que pour le Keemun standard.

### Caractéristiques
Le plus rare des thés Keemun. Belles feuilles, liqueur au goût délicat et très raffiné.

### Conseils de préparation
Comptez 1 petite cuillerée de thé par tasse d'eau à 95 °C et laissez infuser de 5 à 7 min.

**Conseils de dégustation**

Un thé du soir ou de l'après-midi.

## Lapsang Souchong (Zhengshan Xiaozhong)

Les thés fumés sont une spécialité de la province du Fujian. Les feuilles, fumées au-dessus d'un foyer d'épicéa, sont séchées à la poêle, roulées, compressées dans des tonneaux et recouvertes de tissu. Après fermentation, elles sont séchées et roulées.

### Caractéristiques
Ces bandes de feuilles noires donnent une riche liqueur rouge. Arôme et goût fumés particuliers.

### Conseils de préparation
1 petite cuillerée par tasse d'eau à 95 °C. Laissez infuser 5 à 7 min.

**Conseils de dégustation**

Se boit nature ou avec un nuage de lait. Parfait pour les petits déjeuners salés et le poisson.

### Autres thés de Chine fumés à recommander
Tarry Souchong et Yo Pao.

## Jiuqu Wulong (Black Dragon, Dragon noir)

Il s'agit d'un thé noir fermenté *gonfu*, mais parfois on le considère à tort comme un Oolong.

### Caractéristiques
Feuilles finement torsadées qui donnent une liqueur d'un rouge cuivré au goût moelleux, subtil et désaltérant.

### Conseils de préparation
1 petite cuillerée par tasse d'eau à 95 °C. Laissez infuser 5 à 7 min.

**Conseils de dégustation**

Se boit sans lait, l'après-midi ou en soirée.

## Szechwan Impérial

Certains thés noirs de Chine, comme celui-ci, sont commercialisés sous le nom de la province dont ils sont issus. Parmi eux on trouve le Guangdong Black, le Hainan Black, le Hunan Black et le Fujian Black.

### Caractéristiques
Fines feuilles à pointes dorées donnant une liqueur très colorée, à l'arôme discret et à la saveur parfumée, moelleuse, presque sucrée.

### Conseils de préparation
1 petite cuillerée par tasse d'eau à 95 °C. Laissez infuser 5 à 7 min.

**Conseils de dégustation**

Un thé d'après-midi, qui se boit sans lait.

## Yunnan (Dianhong)

Le Yunnan, province productrice de thé depuis plus de dix-sept siècles, aurait vu naître le thé. Les théiers qui servent à faire les thés noirs Yunnan donnent de gros bourgeons et des feuilles épaisses et souples.

**Caractéristiques**
Feuilles noires qui donnent une liqueur vive, légèrement poivrée, à l'arôme prononcé.

**Conseils de préparation**
1 petite cuillerée par tasse d'eau à 95 °C. Infusion, 5 à 7 min.

**Conseils de dégustation**

Supporte un peu de lait; se boit bien au petit déjeuner et l'après-midi.

### Autres thés noirs de Chine à recommander

Ching Wo, Ning Chow et Panyong.

# THÉS DE CHINE COMPRESSÉS

## Tuan Cha (Nattes de thé)

Ces boules de thé sont de différentes tailles, la plus petite ayant celle d'une balle de tennis de table.

**Caractéristiques**
La saveur et l'arôme évoquent la terre.

**Conseils de préparation**
5 tasses d'eau par boule de thé. Infusion dans eau frémissante, 5 min.

**Conseils de dégustation**

Se boit sans lait, en digestif ou à n'importe quel moment de la journée.

*Natte de thé.*

## Tuo Cha

Originaire de la province du Yunnan, c'est un thé compressé modelé en nid d'oiseau à l'aide d'un bol.

### Caractéristiques
Ressemble à un nid d'oiseau. Sa liqueur a le même goût de terre que les autres thés Pu-erh.

### Conseils de préparation
1 petite cuillerée par tasse. Infusion, 5 min dans l'eau frémissante. Versez à l'aide d'une passoire.

### Conseils de dégustation

Se boit sans lait, en digestif ou à toute heure de la journée ou de la soirée.

## Dschuan Cha (Brique de thé)

Ce thé, plus décoratif que bon à faire infuser, est fabriqué en compressant de la poudre de thé noir.

### Caractéristiques
Ce thé n'a pas de qualités spécifiques. On le boit plus par curiosité que pour son goût.

### Conseils de préparation
Faites infuser 1 petite cuillerée par tasse dans de l'eau frémissante 3 à 4 min. Versez dans les tasses à l'aide d'une passoire.

### Conseils de dégustation

Se boit toute la journée. avec ou sans lait.

*Brique de thé.*

# INDONÉSIE

*Des thés légers à la saveur agréable.*

S ITUÉE au sud de la mer de Chine, l'Indonésie est un archipel qui s'étend de la Malaisie à la
Papouasie-Nouvelle-Guinée. C'est dans les deux plus grandes îles, Java et Sumatra, que se
trouvent les principales plantations de thé. Au début du XVII$^e$ siècle, les Hollandais menaient leur
commerce avec la Chine depuis Java ; la Compagnie hollandaise des Indes orientales établit les
premières plantations sur l'île au début du XVIII$^e$ siècle. À l'origine,
on utilisa des graines chinoises qui ne réussirent pas à prospérer ;
ensuite, les Hollandais plantèrent des théiers d'Assam.

*Cueillette du thé à Java, en Indonésie.*

Plus tard, le thé fut introduit à Sumatra, et ces dernières années la production a démarré sur l'île de Sulawesi. Avant la Seconde Guerre mondiale, les thés noirs d'Indonésie, avec ceux d'Inde et de Ceylan, dominaient le marché européen et en particulier britannique. Mais la guerre laissa l'industrie de l'île exsangue, et la production de thé resta minime jusqu'en 1984, date de mise en œuvre du programme de réhabilitation. Le Tea Board (Office du thé) d'Indonésie contribua à la restructuration de l'industrie, à la rénovation des fabriques et à la remise en état des plantations avec des plants de qualité supérieure multipliés par clonage. La production augmenta grâce à cette amélioration.

Par le passé, on ne produisait que des thés noirs orthodoxes, mais la demande pour le thé en sachets a incité les producteurs à adopter le procédé CTC. On compte désormais 16 fabriques produisant plus de 16 500 t de thé par an. La production de thé vert a débuté en 1988, et on s'attend qu'elle augmente ces prochaines années en raison de l'immense crédit dont jouit le thé vert, reconnu pour ses propriétés diététiques et médicinales. Actuellement, le thé vert est souvent mélangé aux fleurs de jasmin et traité comme du thé au jasmin, principalement pour le marché intérieur. Il se consomme tout prêt en canettes ou en bouteilles.

Les plantations occupent une superficie de 13 000 ha à Java, et de 60 000 ha à Sumatra et sur les autres îles. Les meilleurs thés sont récoltés en juillet, août et septembre. La production se partage entre le thé vert (60%) et le thé noir (40%). La majeure partie des thés noirs est commercialisée à l'exportation dans les ventes aux enchères hebdomadaires de Djakarta. Les clients sont le Royaume-Uni, les États-Unis, les Pays-Bas, l'Australie, le Moyen-Orient, l'Allemagne, le Pakistan, Singapour et le Japon ; la Russie, les autres pays de la C.E.I. et la Pologne commencent juste à acheter. Ces dix dernières années, la quantité de thé vendue à l'exportation a augmenté de façon régulière. L'Indonésie exportait 93 000 t de thé en 1984, et 132 000 en 1992 (12% du total des exportations mondiales).

Les thés d'Indonésie sont des thés légers, au goût agréable. Ils entrent pour la plupart dans la composition des mélanges destinés à remplir des sachets en papier, mais un ou deux jardins commercialisent maintenant leurs propres crus.

## Gunung Rosa

### Caractéristiques
Thé à larges feuilles qui donne une infusion brillante, légère, excellente, légèrement suave, évoquant certains thés de Ceylan *high-grown*.

### Conseils de préparation
1 petite cuillerée par tasse d'eau à 95 °C. Infusion, 3 à 4 min.

### Conseils de dégustation
Se boit avec ou sans lait, ou peut-être avec du citron. Excellent à l'heure du thé.

## Taloon

### Caractéristiques

Magnifique thé de Java à feuilles entières avec beaucoup de pointes dorées, qui donne une infusion aromatique au goût riche.

### Conseils de préparation

1 petite cuillerée par tasse d'eau à 95 °C. Laissez infuser 3 à 4 min.

### Conseils de dégustation

Un bon thé de 5 heures, qui se marie bien avec les gâteaux l'après-midi.

## Bah Butong

### Caractéristiques

Thé à feuilles brisées originaire de Sumatra qui donne une infusion pleine, forte et colorée.

### Conseils de préparation

1 petite cuillerée par tasse d'eau à 95 °C. Laissez infuser 3 à 4 min.

### Conseils de dégustation

Un thé de petit déjeuner qui se boit avec du lait.

# JAPON

*Un paysage ondoyant, parcouru de jardins produisant exclusivement du thé vert.*

S ELON L'HISTOIRE JAPONAISE, les premières graines de théier importées de Chine par le moine bouddhiste Dengyo Daishi auraient été plantées en l'an 805. On dit aussi que certaines graines furent envoyées à l'abbé de Togano-o à Yamashiro, et que certains des plants provenant de ces graines furent transplantés à Uji, où le sol est particulièrement bon. Le thé d'Uji est encore considéré comme le plus fin du pays. À la même époque ou à peu près, cinq grandes plantations furent créées (à Asahi, Kambayashi, Kyogoku, Yamana et Umoji) qui existent encore aujourd'hui.

CORÉE DU SUD

HONSHU

SAITAMA

TOKYO
mont Fuji

AICHI
KYOTO   SHIZUOKA
MIE
NARA

FUKUOKA
SAGA
SHIKOKU
KAGOSHIMA
KYUSHU   OCÉAN PACIFIQUE

*Cueillette mécanique dans un champ de thé japonais.*

Les jardins de thé japonais ne ressemblent pas aux plantations des autres pays. Cultivés côte à côte en longues bandes, les arbustes font penser à des vagues vertes ondoyant dans tout le paysage. Le dessus de ces vagues est incurvé, et c'est sur ces tables de cueillette que le cueilleur prend feuilles et bourgeons.

Après la Seconde Guerre mondiale, la culture du thé se développa, les principales régions productrices étant maintenant les préfectures de Shizuoka, Kagoshima, Mie, Nara, Kyoto (autour d'Uji), Saga, Fukuoka et Saitama. Nishio, dans la préfecture d'Aichi, est célèbre pour son thé en poudre.

Le climat est chaud, les pluies sont abondantes. Les plantations sont situées dans les montagnes et près des rivières, des fleuves et des lacs, là où la chaleur s'allie à des brouillards denses et à des rosées copieuses. Quelque 600 000 familles rurales produisent 110 000 t de thé pour une superficie de 60 000 ha. La récolte commence à la fin avril. Les feuilles, cueillies à la main ou avec des ciseaux automatiques ressemblant à une tondeuse à cheveux, sont acheminées dans les fabriques, où elles sont soumises à divers traitements selon le type de thé. Tous les thés japonais sont verts.

# LES VARIÉTÉS DE THÉS VERTS

Le Gyokuro est le meilleur des thés japonais. Pour obtenir du Gyokuro, il faut que les théiers soient ombragés à 90 % pendant une vingtaine de jours à partir de début mai. Dès la formation des nouveaux bourgeons, la plantation est recouverte de nattes de bambou ou d'ombrières. Dans cette luminosité amoindrie, les minuscules feuilles sécrètent plus de chlorophylle et moins de tanin. Lorsque la récolte commence, seules les feuilles les plus tendres sont soigneusement cueillies à la main ou avec des ciseaux automatiques. Les feuilles sont rapidement transportées à la fabrique et sont passées à la vapeur pendant environ trente secondes, ce qui fixe le goût et stoppe la fermentation. Puis elles sont soumises à une projection

d'air chaud, compressées et séchées jusqu'à ce qu'elles ne renferment plus que 30 % d'eau. Un roulage répété donne aux feuilles la forme de fines aiguilles vert foncé. Elles sont ensuite triées (élimination des tiges et des vieilles feuilles) et séchées à nouveau.

Pour obtenir du Tencha, un thé finement haché qui est moulu pour faire du Matcha (la poudre de thé), les arbustes sont aussi ombragés. Les feuilles, plus grandes que celles utilisées pour le Gyokuro, sont cueillies, passées à la vapeur et ventilées à l'air chaud. Elles sont séchées sans être roulées, puis coupées en très petits morceaux. La poudre de thé vert se conserve très peu de temps (quatre semaines en hiver, deux en été). Les feuilles sont stockées en tant que Tencha, qui lui se conserve bien, jusqu'à ce qu'on ait besoin de Matcha, ce thé qui se boit lors de la traditionnelle cérémonie du thé japonaise : le Tencha finement haché est réduit en une fine poudre à l'aide d'un moulin de pierre. Le Gyokuro et le Tencha ne sont récoltés qu'une fois par an, car l'ombre retire aux arbustes leur énergie et il leur faut du temps pour récupérer.

Le Sencha est le thé le plus répandu au Japon. Il en existe de nombreuses variétés – les meilleures ne sont servies que dans les grandes occasions, les plus ordinaires sont consommées tous les jours, à la maison et au travail. Les théiers sont cultivés en plein soleil, et la première récolte a lieu de la fin

*Les théiers sont ombragés afin que se développe l'agréable saveur des feuilles.*

avril à la mi-mai. La majeure partie de la cueillette s'effectue au moyen de ciseaux mécaniques ou de machines spéciales, mais le Sencha de qualité supérieure est cueilli à la main. Dans certains endroits, les feuilles sont cueillies tous les quarante-cinq jours, quatre fois par an ; la première et la deuxième récolte donnent les meilleures feuilles. La liqueur fournie par la première récolte est douce et suave, alors que celle de la seconde a un goût plus prononcé. Les feuilles sont soumises au même traitement que pour la fabrication du Gyokuro et du Tencha. Elles

sont chauffées à la vapeur puis à l'air, séchées et enfin roulées en fines aiguilles.

Le Bancha est un Sencha de basse qualité. Une fois que la cueillette des feuilles plus tendres pour le Sencha est terminée, les feuilles plus grandes et plus épaisses sont ramassées. Le traitement est identique à celui du Sencha, mais on garde aussi les tiges. Lorsque le Bancha est grillé, il prend le nom de Hojicha. Cette étape intervient après le passage à la vapeur, le flétrissage à l'air chaud, le séchage et le roulage ; la feuille prend alors la forme d'un coin. Le

Genmaicha est un mélange de Bancha et de riz grillé qui a été bouilli puis séché.

Deux autres thés verts, plus rares, sont également manufacturés au Japon. Le Kanmairicha-Tamayokucha se fabrique selon la vieille méthode chinoise, qui consiste à faire griller les feuilles dans un plat pour stopper l'oxydation, puis à les sécher et à les rouler à la main pour former de petites boulettes. Le Mecha est fait avec de jeunes feuilles sélectionnées lors du raffinage du Gyokuro et du Sencha, roulées en petites boules de la taille d'une tête d'épingle, qui donnent une liqueur corsée à l'infusion.

## Gyokuro (Rosée précieuse)

C'est le meilleur thé du Japon, et toujours celui que l'on sert aux visiteurs. La température de l'eau et la durée d'infusion varient selon la qualité – elles doivent être modifiées en conséquence.

### Caractéristiques
Le plus raffiné des thés japonais. Ses feuilles plates et pointues, d'une couleur vert émeraude, donnent une infusion douce, au parfum subtil.

### Conseils de préparation
Pour 3 personnes : 4 cuillerées pour 4 cuillerées à soupe d'eau à 50-60 °C, préalablement bouillie. Laissez infuser 1 min 30 à 2 min et ajoutez de l'eau pour faire d'autres infusions.

### Conseils de dégustation

À réserver pour les grandes occasions. Se boit après un repas, ou comme tonique à toute heure de la journée.

## Matcha Uji (Mousse de jade liquide)

Le fait de fouetter cette poudre avec de l'eau chaude facilite la dissolution du thé et donne une mousse supposée en renforcer le goût.

### Caractéristiques
Le Matcha de qualité supérieure vient de la région d'Uji. La poudre de thé donne une liqueur vert jade riche et astringente.

### Conseils de préparation
Mettez ½ cuillerée de poudre dans un bol, ajoutez 8 petites cuillerées d'eau à 85 °C préalablement bouillie. Battez pendant 30 s avec un fouet en bambou.

### Conseils de dégustation

C'est une boisson riche qui se consomme toute la journée.

## Sencha

On trouve du Sencha de plusieurs qualités et à différents prix. Au Japon, ce Sencha de qualité moyenne se consomme partout et à toute heure.

**Caractéristiques**

Sencha à grandes feuilles. Une liqueur limpide et brillante au goût délicat, typiquement japonais. Riche en vitamine C.

**Conseils de préparation**

Pour 5 personnes : 4 petites cuillerées pour 1 ¾ tasse d'eau à 90 °C préalablement bouillie. Infusion, 1 min à 1 min 30. Ébouillantez les tasses avant de servir.

**Conseils de dégustation**

Se boit pendant les repas ou en digestif.

## Autres thés recommandés

Sencha Honyama, Sencha Sayama et Sencha Yame.

## Bancha

Le Bancha est fait avec de grandes feuilles coriaces ainsi qu'avec les tiges. Par son goût plus atténué, il convient aux enfants et aux malades.

**Caractéristiques**

Les feuilles plus coriaces, contenant moins de théine et de tanin, donnent une infusion faible.

**Conseils de préparation**

Pour 5 personnes, 6 petites cuillerées pour 3 tasses d'eau à 95 °C. Laissez infuser 30 s.

**Conseils de dégustation**

Se boit pendant les repas ou pour se désaltérer.

## Hojicha

Le Hojicha fut inventé en 1920 par un marchand de Kyoto qui ne savait que faire d'un surplus de vieilles feuilles. Il eut l'idée de les faire griller et créa ainsi un thé au goût nouveau.

### Caractéristiques
Les feuilles grillées donnent une liqueur brun clair. Très agréable à l'estomac.

### Conseils de préparation
Pour 5 personnes : 6 petites cuillerées pour 3 tasses d'eau chaude à 95 °C. Infusion, 30 s.

### Conseils de dégustation

Idéal pour accompagner les repas ou le soir.

## Genmaicha

Des grains de riz grillé et de maïs soufflé donnent un goût intéressant au Bancha.

### Caractéristiques
Thé de qualité moyenne qui donne une infusion brun clair, au goût légèrement salé.

### Conseils de préparation
Pour 1 personne : 2 petites cuillerées par tasse d'eau à 95 °C. Laissez infuser 1 min.

### Conseils de dégustation

Un thé qui accompagne bien les mets légers.

## Autres thés japonais recommandés

Fuji Yama, Kukicha, Ureshinocha et Kawanecha.

# TAIWAN

*Pays d'origine du Tung Ting, le meilleur des thés de Formose.*

L ES PREMIERS THÉIERS, originaires de la province chinoise du Fujian, furent plantés à Formose (son nom d'alors) il y a deux siècles, dans le nord du pays. Les plantations sont à moins de 300 m d'altitude, là où les températures ne descendent jamais au-dessous de 12 °C et ne montent jamais au-dessus de 27 °C. La récolte a lieu cinq fois par an d'avril à décembre, et la meilleure feuille se cueille entre la fin mai et la mi-août.

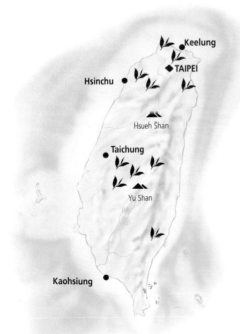

Presque tous les thés de Formose sont des Oolong, avec occasionnellement des Pouchong légèrement fermentés. La plupart de ces thés servent à fabriquer du thé au jasmin et d'autres thés parfumés.

Par le passé, le Japon était le plus gros acheteur de thé de Formose, mais ces dernières années le Maroc et les États-Unis en ont importé de plus grandes quantités.

# Formose Gunpowder

### Caractéristiques
Petites billes de thé vert qui donnent une infusion limpide, délicieusement rafraîchissante.

### Conseils de préparation
2 petites cuillerées par tasse d'eau à 95 °C.
Laissez infuser pendant 3 min.

## Conseils de dégustation

Nature ou parfumé à la menthe. Merveilleux thé d'après-midi.

# Formose Grand Pouchong

### Caractéristiques
Très légèrement fermenté, presque du thé vert. C'est un concurrent du Tung Ting, le thé le plus renommé de Taiwan. Donne une infusion jaune d'or à l'arôme délicat.

### Conseils de préparation
1 petite cuillerée par tasse d'eau à 95 °C.
Infusion, 4 à 5 min.

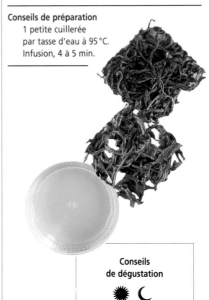

## Conseils de dégustation

Thé de la journée ou du soir.

## Formose Grand Oolong (Great Black Dragon)

### Caractéristiques

Pour ce thé exceptionnel, les feuilles à pointes blanches sont cueillies au printemps. Magnifiques feuilles entières, qui donnent une liqueur à la saveur délicate et à l'arôme exquis.

### Conseils de préparation

1 petite cuillerée par tasse d'eau à 95 °C. Infusion, 7 min.

### Conseils de dégustation

À réserver pour les grandes occasions. Se boit sans lait.

## Tung Ting

### Caractéristiques

Considéré comme le meilleur thé de Taiwan. C'est un Pouchong légèrement fermenté, qui donne une liqueur vert orangé au goût moelleux.

### Conseils de préparation

1 petite cuillerée par tasse d'eau à 95 °C. Infusion, 7 min.

### Conseils de dégustation

✫

À réserver pour les grandes occasions. Se boit sans lait.

## Autres thés de Formose recommandés

Grand Pouchong Imperial, Oolong Imperial et Ti Kuan Yin.

# Les Autres Pays

# Producteurs

# AMÉRIQUE DU SUD

## ARGENTINE

L'Argentine produit 95% de son thé dans la province de Misiones et les 5% restants dans celle de Corrientes. On utilise aujourd'hui des méthodes de cueillette mécanisées, qui ont amélioré la productivité de 2000%! Les thés argentins donnent une liqueur sombre au goût de terre, avec plus ou moins de corps. La plupart sont exportés en Chine et aux États-Unis, pour les mélanges ou pour la fabrication de thé soluble.

**Jardin recommandé**
Misiones.

*Récolte mécanisée en Argentine.*

## BRÉSIL

Le Brésil produit du thé noir orthodoxe dans une région, située au sud de São Paulo. La majeure partie est utilisée dans les mélanges pour les sachets destinés au Royaume-Uni et au marché intérieur. Ces thés donnent une liqueur limpide et brillante, au goût fade.

**Jardin recommandé**
São Paulo.

## ÉQUATEUR

Ce pays cultive du thé depuis la fin des années soixante et exporte la majeure partie de sa production de thé noir aux États-Unis (pour les mélanges). Ses thés donnent des liqueurs fortes à la saveur agréable, avec parfois une légère note de terre.

## PÉROU

Le thé est cultivé dans les départements de Cuzco et de Huanuco. La production atteint environ 1 800 t par an – le projet d'en consacrer 500 à l'élaboration de thé instantané, afin de satisfaire la demande sur le marché intérieur, a dû être momentanément abandonné en raison de problèmes d'ordre économique.

# AFRIQUE

## BURUNDI

Le Burundi s'est lancé dans la production de thé à l'échelle industrielle au début des années soixante-dix. En 1994, il a produit 7 500 t pour une superficie de 9 000 ha. Il existe cinq manufactures de thé, dont quatre sont installées à plus de 1 800 m d'altitude. Comme le Rwanda, ce pays a souffert ces dernières années de la guerre civile et de l'instabilité politique. La production et la qualité du thé en ont été affectées. Cette région au relief montagneux et au climat tropical jouit pourtant d'un grand potentiel pour produire des thés d'excellente qualité, d'une variété identique à ceux du Rwanda.

## Jardin recommandé
Teza-Ijenda.

*Cueillette du thé au Burundi.*

## ÉTHIOPIE
L'Éthiopie possède deux manufactures de thé au sud du pays, sur un plateau proche de la

*La plantation de Gumaro s'étend sur 850 ha.*

frontière avec le Kenya. Les théiers, situés à plus de 1 700 m d'altitude, occupent une superficie de 2 000 ha et produisent des thés similaires à ceux du Kenya. Maintenant que le pays jouit d'une certaine stabilité politique, l'industrie du thé peut se consacrer à améliorer la qualité et à augmenter la production.

## MADAGASCAR
Les théiers de l'île, obtenus après multiplication des plants par clonage, sont cultivés à 1 700 m d'altitude. Les feuilles noires donnent une infusion brillante et colorée d'une qualité intéressante, équivalant à celle des meilleurs thés d'Afrique de l'Est. La production est saisonnière : de mai à septembre, par temps sec dominant, la récolte est peu abondante.

## Jardin recommandé
Sahambavy.

## ÎLE MAURICE
Le thé – la boisson – fut introduit dans l'île Maurice par le Français Pierre Poivre en 1770. L'île produit aujourd'hui des thés très acceptables, qui donnent une liqueur colorée, forte et pleine, mais pas de très bonne qualité. En raison d'une chute des cours mondiaux, le pays commence à s'intéresser à la culture du sucre et des textiles, à tel point que la production de thé pourrait disparaître en 2001.

## MOZAMBIQUE

Les Portugais plantèrent du thé dans la province du Zambèze, mais, à cause des troubles politiques des années soixante-dix, la production s'est mise à décliner. Les thés noirs forts ont un goût légèrement épicé. Additionnés de lait, ils conviennent particulièrement bien aux petits déjeuners.

## RWANDA

L'industrie du thé fit son apparition au Rwanda dans les années cinquante, avec l'aide financière de la Belgique et de la C.E.E. Un sol fertile, une pluviosité adaptée et un climat très favorable contribuèrent à faire prospérer cette culture, effectuée dans le souci d'obtenir une qualité constante équivalant à celle des meilleurs thés CTC d'Afrique. Cependant, depuis 1990, les problèmes politiques ont profondément bouleversé la production.

La plus grande fabrique, établie à Mulindi, fut occupée par les envahisseurs tutsis, et en 1994 toutes les fabriques cessèrent leurs activités. Contre toute attente, la plantation de Cyohoha Rukeri se remit à produire après que les arbres endommagés eurent été taillés. La fabrique redémarra en février 1995. En 1995, la production dépassa 2 200 t, et l'on retrouva les niveaux de qualité qui avaient cours avant la guerre. Moyennant la restauration des manufactures et la remise en état des plantations, on peut s'attendre à un retour à la normale si la situation politique reste stable.

**Jardins recommandés**

Kitabi et Matah.

## OUGANDA

En Ouganda, la culture du thé débuta en 1909, mais il fallut attendre la fin des années vingt pour parler de développement industriel, lorsque les anciens soldats de la Première Guerre mondiale établirent des plantations privées. La fin des années cinquante vit la production s'accroître rapidement dans les plantations, dont les propriétaires étaient presque tous des Blancs. Avant 1972, les grandes plantations privées et les petites exploitations se développèrent sur près de 20 000 ha, et le thé fut le meilleur produit d'exportation du pays. L'instabilité politique des années soixante-dix et quatre-vingt affecta sérieusement cette industrie – les exportations ont chuté de 26 500 t en 1972 à 1 100 t en 1980.

Les plantations furent endommagées ou abandonnées, les fabriques tournèrent au ralenti ou fermèrent leurs portes par manque d'électricité ou de main-d'œuvre. Depuis 1989, le calme politique retrouvé a permis de remettre en état fabriques et plantations, et la production est à nouveau sur la pente ascendante (elle est passée de 5 t en 1989 à 16 t en 1994). Des problèmes subsistent néanmoins. Les taux de change ont fait obstacle au développement de l'industrie ougandaise, le coût des transports est élevé, la main-d'œuvre (qualifiée et non qualifiée) manque, l'alimentation en énergie est peu fiable, les fabriques sont anciennes et ont besoin d'être rénovées, et depuis 1988 les activités de recherche ne sont plus financées.

*Dans cette plantation de thé en Ouganda, on pratique une récolte mécanisée.*

Ces dernières années, les thés ougandais ont vu leurs cours baisser aux enchères de Londres et de Mombasa, à cause d'un manque de suivi dans la qualité. L'augmentation et l'amélioration de la production ont fait remonter les prix. On espère qu'en 1998 la production équivaudra à celle de 1972, et qu'elle doublera d'ici à l'an 2000.

**Jardin recommandé**
Mityana.

## ZIMBABWE

Le Zimbabwe abrite deux grandes régions productrices de thé. Les thés zimbabwéens donnent une liqueur forte de couleur sombre. La plupart sont exportés au Royaume-Uni et entrent dans le contenu des sachets. Actuellement, le pays se met à produire du thé *clonal* (qui se boit avec du lait).

**Jardin recommandé**
Southbown.

# EUROPE

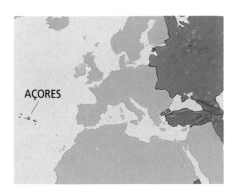

AÇORES

## AÇORES

Le thé est cultivé dans l'île volcanique de São Miguel, une des principales de l'archipel. En provenance du Brésil, il fut introduit dans l'île vers 1820, et dès la première moitié du xxᵉ siècle il y eut 300 ha de terres dévolus à la culture du thé. Cependant, en 1966, la superficie occupée par les théiers diminua de moitié et la qualité du thé devint médiocre.

En 1984, un expert mandaté par le gouvernement des Açores a mis en place un programme de remise en état des anciennes plantations, de mécanisation de la taille et de la cueillette, d'amélioration des méthodes de culture et de la qualité en général. Cette opération est menée à petite échelle et le thé ainsi produit est vendu aux touristes.

En 1995, le gouvernement, en octroyant des fonds pour la culture et la manufacture du thé, a misé sur une augmentation de la production et de la qualité, avec l'intention de satisfaire la demande sur le marché intérieur mais aussi d'exporter vers les États-Unis et d'autres pays.

# ASIE

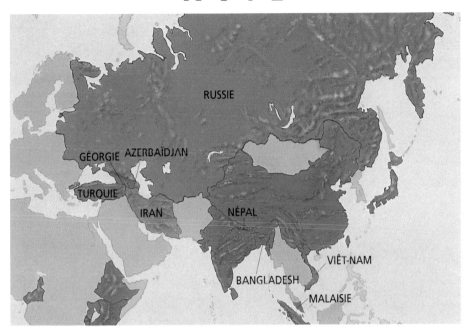

## BANGLADESH

Après l'introduction du thé en Assam par les Britanniques vers 1830, sa culture s'étendit rapidement aux régions qui faisaient alors partie du nord de l'Inde. Après la partition de 1947, puis la création du Bangladesh, les régions de Sylhet et de Chittagong continuèrent à produire une importante quantité de thé. La récolte se fait d'avril à décembre, les meilleurs thés sont cueillis en mai et juin. Le thé noir représente la majeure partie de la production. Les thés à feuilles entières sont emballés dans les manufactures, alors que la plupart des thés à feuilles brisées, des Dust et des Fannings servent aux mélanges. Le thé vert est produit en plus petite quantité. La production annuelle est de 56 000 t environ, dont 36 000 partent à l'exportation. Les plus gros acheteurs étrangers sont le Pakistan et la Pologne. Viennent ensuite le Royaume-Uni, la Russie et d'autres pays de l'ex-URSS, l'Allemagne, l'Égypte, la Chine, l'Iran, l'Australie, la Nouvelle-Zélande, le Soudan, la Belgique et l'Inde. Les thés du Bangladesh, proches de ceux du sud de l'Inde, donnent une liqueur à la couleur et à l'arôme agréables, au goût légèrement épicé. Ils se boivent de préférence avec du lait.

**Jardin recommandé**
Chittagong.

# C . E . I .

## AZERBAÏDJAN
Les principales régions productrices de thé sont Lenkoran, Massallin, Lerik et Astar. En 1988, la production était de 35 800 t, mais elle chuta pour n'atteindre plus que 9 300 t en

1992 et 1 200 t en 1995. Depuis lors, elle a augmenté à nouveau et deux joint-ventures ont été créés, l'un avec la Turquie, l'autre avec les Émirats arabes unis.

## GÉORGIE
Avant la guerre civile de 1993-1995, la culture du thé se pratiquait dans l'ouest du pays et dans la province d'Abkhazie. Depuis 1993, la production est quasiment nulle.

## RUSSIE
La culture du thé en Russie remonte à 1833 : des graines furent alors semées au jardin botanique de Nikity, en Crimée. Pourtant,

*Plantation de thé à Sochi, dans la région de Krasnodar, en Russie.*

l'industrie ne prit son essor qu'après la Première Guerre mondiale, pour prospérer rapidement au sortir de la Seconde. Aujourd'hui, la principale région productrice de thé de Russie est la province de Krasnodar, dans le sud-ouest du pays.

Avant la dislocation de l'URSS, les théiers occupaient une superficie de 1 500 ha et produisaient entre 3 800 et 4 400 t par an, dans deux manufactures. Au milieu des années quatre-vingt-dix, la production était presque totalement interrompue.

# I R A N

Le thé est cultivé depuis 1900 dans le nord du pays. Ce thé noir donne une liqueur rougeâtre, légère et onctueuse, qui se boit de préférence sans lait.

**Jardin recommandé**

Elbourz.

# M A L A I S I E

La plantation de thé des Cameron Highlands, non loin de Kuala Lumpur, fut créée en 1929 par le fils d'un fonctionnaire colonial britannique. Il lui donna le nom de Boh en souvenir de Bohea, région de Chine où, selon la légende, le thé fut découvert. Au départ, la main d'œuvre venait d'Inde. Désormais, elle est petit à petit relayée par des travailleurs du Bangladesh.

La plantation de Boh, qui produit 70 % des thés de Malaisie, bénéficie de conditions climatiques quasi idéales. Ce sont des thés noirs orthodoxes d'honnête tenue, qui donnent des liqueurs légères et brillantes, proches de celles des thés de Ceylan de qualité moyenne.

**Jardins recommandés**

Boh et Blue Valley.

*Sélection de thés de Malaisie.*

## NÉPAL

Le gouvernement népalais a encouragé la culture du thé sur les pentes de l'Himalaya. Les feuilles de thé noir produisent une liqueur onctueuse, subtile et parfumée. Les exportations sont limitées, en raison d'une forte demande locale.

## TURQUIE

Les plantations turques, en activité depuis 1938, se trouvent dans la région de Rize, proche de la mer Noire. Elles produisent annuellement quelque 110 000 t de thés noirs de grade moyen, en majeure partie consommés sur place. Ces thés à petites feuilles donnent une liqueur sombre au goût presque sucré, qui fait penser aux thés russes et se boit de préférence avec du lait.

## VIÊT-NAM

Les Français créèrent les premières plantations en 1825, mais l'industrie du thé souffrit beaucoup des guerres qui sévirent en permanence dans la région. Lors de la reconstruction du pays, priorité n'a pas été donnée à la culture du thé, mais le Viêt-nam dispose d'un potentiel extraordinaire. Différentes compagnies étudient actuellement la faisabilité d'une remise à niveau. La décentralisation a permis aux provinces de traiter directement avec l'étranger, et des licences d'exploitation ont été accordées à certaines compagnies. Les plantations produisent d'ores et déjà 44 000 t de thé par an, dont 27 000 t de thé vert. Les thés noirs sont des thés CTC, en grande partie exportés vers l'Allemagne.

# OCÉANIE

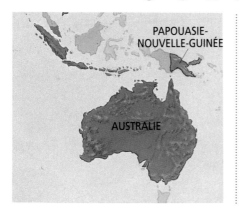

PAPOUASIE-NOUVELLE-GUINÉE

AUSTRALIE

## AUSTRALIE

L'Australie produit seulement 1 600 t de thé par an, en majorité du thé noir (et un peu de thé vert). La première plantation vit le jour dans le Queensland à la fin des années 1880, mais elle fut balayée par un cyclone en 1918. La production reprit en 1959. Furent alors créées la plantation Nerada, près d'Innisfail, et d'autres dans le Queensland et la Nouvelle-Galles du Sud. Les thés noirs sont principalement des thés CTC destinés à

*Sélection de thés provenant des plantations de Madura.*

remplir les sachets, des thés à feuilles pour les paquets et des thés verts orthodoxes dont l'aspect torsadé évoque celui des thés verts produits par de nombreux pays d'Asie.

### Jardins recommandés

Nerada et Madura.

# PAPOUASIE-NOUVELLE-GUINÉE

La terre et les conditions climatiques sont idéales pour la culture du thé. On trouve des forêts et des montagnes à l'intérieur du pays, des plaines marécageuses près du bord de mer. Les plantations se situent dans les montagnes de l'Ouest.

# ADRESSES UTILES

## BOUTIQUES SPÉCIALISÉES

**FRANCE**

**Mariage Frères**
30-32, rue du Bourg-
Tibourg
75004 Paris
Tél. (33-1) 42 72 28 11

13, rue des Grands-
Augustins
75006 Paris
Tél. (33-1) 40 51 82 50

**Les Arceneaux**
25, cours d'Estienne-
d'Orves
13001 Marseille
Tél. (33-4) 91 54 39 37

**Malleval**
11, rue Emile-Zola
69002 Lyon
Tél. (33-4) 78 42 02 07

**Zuber**
5, rue de Longchamp
06000 Nice
Tél. (33-4) 89 44 13 88

**Ventilo**
27, rue des Étuves
34000 Montpellier
Tél. (33-4) 67 60 98 40

**Le Comptoir**
Les Halles centrales
35000 Rennes
Tél. (33-2) 99 79 66 11

**English Shop**
103, rue Ganterie
76000 Rouen
Tél. (33-2) 35 71 72 80

**Carcano**
6/8, rue de la Pierre-Hardie
57000 Metz
Tél. (33-3) 87 63 72 86

**Grain de café**
49, cours Lafayette
83000 Toulon
Tél. (33-4) 94 92 79 22

**London Bridge**
7, rue Folco-de-Baroncelli
Place Crillon
84000 Avignon
Tél. (33-4) 90 85 33 42

**Le Comptoir**
5, rue des Merciers
35400 Saint-Malo
Tél. (33-2) 99 40 98 25

## SUISSE
**Le Royaume du thé**
14, rue d'Italie
1204 Genève
Tél. (41) 22 312 43 67

**L'Art du thé**
Pfistergasse 7
6003 Lucerne
Tél. (41) 41 240 32 20

**Boutique Cardas**
10, rue du Bourg
1003 Lausanne
Tél. (41) 21 312 55 60

# VENTE PAR CORRESPONDANCE

**Mariage Frères**
91, rue Alexandre-Dumas
75020 Paris – France
Tél. (33-1) 40 09 81 18
Fax (33-1) 40 09 88 15

# MUSÉES DU THÉ

**FRANCE**

**Musée du thé**
**Mariage Frères**
30, rue du Bourg-Tibourg
75004 Paris
Tél. (33-1) 42 72 28 11

**GRANDE BRETAGNE**

**The Bramah Tea and Coffee Museum**
The Clove Building,
4 Maguire Street
London SE1 2NQ
Tél. (44-171) 378 0222

**CHINE**

**The China National Tea Museum**
Shuangfeng Village
Longjing Road
Hangzhou
Tél. (86) 724 221

**Museum of Tea Ware**
Flagstaff House
Hong Kong Park, Central,
Hong Kong
Tél. (852-2) 869 06 90

**JAPON**

**Musée du thé**
**Mariage Frères Japon**
Suzuran-Dori, 5-6-6 Ginza,
chuo-ku, Tokyo
Tél. (81-3) 3572 1854

# INDEX

# REMERCIEMENTS

L'éditeur souhaite remercier de leur contribution les personnes, sociétés et organismes suivants :
M. Edward Bramah, du Bramah Tea and Coffee Museum, qui nous a autorisés à photographier sa collection ; Bodum (GB) Ltd pour le prêt des ustensiles figurant p. 50, 51 ; Whittards of Chelsea pour le prêt d'une cuillère infuseur p. 52, de tasses à infuseur p. 53 et d'une passoire pivotante p. 58 ; Simpson & Vail, Inc. pour la fourniture de l'infuseur à thé en mailles d'acier, du filtre en mousseline, de l'infuseur à poignée à ressorts, de l'infuseur à théière p. 52, de la passoire en bambou et de la passoire anglaise p. 58 ; Stash Tea pour la boule à thé et le filtre p. 52, Su Russell de la College Farm Tea House, Finchley, Londres, pour nous avoir gentiment autorisés à photographier le salon de thé p. 87.

Tous les thés figurant dans le guide ont été fournis par la maison de thé Mariage Frères, Paris, sauf : Gunung Rosa – Matthew Algie & Company Limited ; Pouchong, Keemun Mao Feng, Gyokuro – India Tea Importers ; Ndu, Djuttitsu Clonal, Tole, Namingomba, Kavuzi, Kilima – Wilson Smithett ; thé zoulou – Taylors of Harrogate ; Hojicha, Bancha, Jasmine Pearl – Whittards of Chelsea ; Sencha, Genmaicha – Simpson & Vail, Inc. ; Assam Blend, Darjeeling Blend, Rose Pouchong, Kenya Blend – Twinings.

# CRÉDITS PHOTOGRAPHIQUES

p. 8 Tea Council d'Afrique du Sud, p. 10 The Tea Council Limited (GB), p. 12, 13, Yozo Tanimoto, Japanese Tea Association, p. 15 Collection Mansell, p. 16 (h) Collection Mansell, (b) Twinings, p. 17, 19 The Tea Council Limited (BG), p. 20 Collection Robert Opie, p. 21 Collection Mansell, p. 23 Tea House College Farm, Finchley (Londres), p. 24 Collection Mansell, p. 26 Carritt Moran & Co. Pvt. Ltd, Inde, p. 28 (h) Carritt Moran & Co. Pvt. Ltd, (b) The Tea Council Limited (GB), p. 29 (h) The Tea Council Limited (GB), (b) Carritt Moran & Co. Pvt. Ltd, p. 34 The Tea Council Limited (GB), p. 37 Lonrho Tanzanie, p. 38 The Tea Council Limited (GB), p. 40 Barber Kingsmark, p. 41 Bill Edge, p. 43 The Tea Council Limited (GB), p. 46 Transfair International, p. 50 (h) Simpson & Vail Inc., p. 62 Mariage Frères, p. 64 Mike Adams, p. 73 The Tea Council of South Africa, p. 75 (b) Simpson and Vail, p. 80 Twinings, p. 84 Conseil du thé d'Allemagne, p. 89 Japan Tea Exporters' Association, p. 90 Dr Maureen Huggins, p. 91 Life File, p. 93 Images Tony Stone, p. 95 Columbus Communications, p. 105 Compagnie de développement du Cameroun, p. 108 Tea Council du Kenya, p. 111 Tea Research Foundation (Afrique centrale), p. 114, 115 Tea Council d'Afrique du Sud, p. 117 Brooke Bond Tanzania Limited, p. 121 Carritt Moran & Co.Pvt. Ltd, p. 122 Tea Board of India, p. 123 Mohammed Fareed, Nalani Tea Estate, p. 128 Tea Research Association (nord-est de l'Inde), p. 128 Tea Board of India, p. 133, 134 Carritt Moran & Co. Pvt. Ltd., p. 138 Takeshi Isobuchi, p. 139 Tea Promotion Bureau, Sri Lanka Tea Board, p. 147 The Tea Council Limited (GB), p. 148, 149, 150 Mike Adams, p. 157 Takeshi Isobuchi, p. 163 Images Tony Stone, p. 167 Yozo Tanimoto, Japanese Tea Association, p. 169 Yozo Tanimoto, Japanese Tea Association, p. 177 Establecimiento Las Marias SA, Argentine, p. 179 (h) Images Tony Stone, (b) Ethiopian Tea Development and Marketing Enterprise, p. 181 Wilson Smithett & Co., p. 184, 185 Life File, p. 187 Madura Tea Estates.